Le *coeur* de Gilles

Données de catalogage avant publication (Canada)

Thibault, Gilles

Le cœur de Gilles: Le récit d'une transplantation cardiaque.

2-89111-309-8

1. Thibault, Gilles. 2. Cœur — Maladies. 3. Greffés du cœur — Québec (Province) — Biographies. I. Delage, Jocelyne. II. Titre.

RD598.T54 1987 362.1'97412 C87-096055-5

Maquette de la couverture: France Lafond

Photo de la couverture: Radio-Canada

Photocomposition et mise en pages: Helvetigraf, inc.

244, rue Saint-Jacques, Montréal, H2Y 1L9

Dépôt légal:
1er trimestre 1987

ISBN 2-89111-309-8

GILLES THIBAULT
JOCELYNE DELAGE

Le coeur de Gilles

LIBRE EXPRESSION

À Huguette, Martin et Lyne.

À Joëlle, Pascal et Michel.

Table des matières

Avant-propos

Je tiens à remercier bien sincèrement la Société Radio-Canada, et tout particulièrement Jean Rémillard, Paul Larose, Pierre O'Neil et Pierre Labelle grâce auxquels j'ai pu connaître Gilles Thibault, qui a accepté avec beaucoup de générosité de permettre que soit filmé le déroulement de son hospitalisation, de sa greffe cardiaque et de sa récupération, et grâce auxquels j'ai eu la possibilité de recueillir l'information pour ce livre qui est, en partie, un roman vécu. Le compte rendu audiovisuel de cette transplantation fait partie d'un dossier d'une heure du Service de l'information de Radio-Canada et s'intitule *Le cœur d'un autre*.

Mes remerciements s'adressent aussi aux docteurs Jean Morin et Albert Guerraty pour leur collaboration autant dans la transmission que dans la vérification de l'information médicale de ce document, et leur très grande disponibilité.

Le cœur de Gilles se divise en trois parties: «La maladie cardiaque», «Le cœur, son mécanisme et ses traitements» et «La greffe cardiaque». La première et la troisième sont l'histoire de Gilles Thibault. La deuxième est un exposé plus scientifique sur le cœur, son fonctionnement ou son dysfonctionnement et un de ses traitements. C'est un livre qui s'adresse à ceux qui ont des troubles du cœur et qui désirent se renseigner sur l'activité de cet organe vital qui, pour les chirurgiens cardiaques, est une simple pompe qu'ils réparent ou changent avec beaucoup de soins et une infinie délicatesse.

Tous ceux qui approchent ces médecins d'ailleurs se trouvent grandis par leur immense bonté et, contrairement à une croyance répandue, leur sensibilité à fleur de peau.

Jocelyne Delage

I
La maladie cardiaque

Gilles ne se sentait décidément pas bien. Pourquoi au juste, il n'aurait su le dire. Une sensation de fatigue, de faiblesse. À 46 ans, c'était plutôt désolant. Surtout pour un assez grand et gros homme. Grand, en fait il ne mesurait que cinq pieds, 8 pouces (1,76 mètres) et gros, il pesait 154 livres (70 kilos). Pour un Québécois, c'était la norme, du moins dans son entourage à Saint-Hyacinthe, mais pour un Français, ç'aurait été définitivement grand.

Cette lassitude l'accablait. Il n'avait pas l'habitude de s'écouter. Il aimait l'action. Bel homme aux cheveux poivre et sel, il avait toujours une blague à la bouche. Bon vivant, il était entouré d'amis. Non pas qu'il fût si volubile, c'était au contraire un homme assez réservé, mais il était terriblement attachant. L'œil pers, moqueur quand il était en forme, éteint lorsque abattu par la maladie, Gilles ne comprenait pas ce qui se passait.

Pas plus d'ailleurs que son épouse Huguette, une jolie femme vive et dynamique, toujours souriante, le cheveu coiffé à la lionne. Ils faisaient un bon tandem. D'allure jeune et énergique toutes ces années, ils ne saisissaient pas pourquoi ça ne pouvait continuer. Gilles était allé voir le médecin qui l'avait examiné et avait conclu: «C'est soit un estomac paresseux, soit un stress, soit une grippe musculaire.»

Ce devait être un estomac paresseux, se disait Gilles, puisqu'il faisait de plus en plus d'éructations (des *rapports*), c'est-à-dire des rejets sonores par la bouche de gaz venant de l'estomac. Oui, ce devait être l'estomac.

Et il alla consulter un gastrœntérologue. Examens, tests, palpations, questions. Tout était en bon état. Il n'était pas malade lui dit le spécialiste. Mais Gilles ne pouvait toujours pas travailler, il se sentait épuisé, n'avait plus de forces. Il avait mal aux épaules, et allait se coucher et dormir.

En réalité, il passait une bonne partie de la journée au lit; sinon, il se traînait pour aller travailler ou se rendre au parc jouer à la balle avec ses amis et son fils. Puis, il revenait se reposer, vanné.

Huguette l'encourageait en lui disant: «Gilles, t'as sûrement quelque chose. Ils vont finir par le trouver. Va voir un autre spécialiste.» Elle n'avait jamais pensé que c'était psychosomatique. Depuis cinq ans, il n'avait pratiquement pas travaillé parce qu'il ne pouvait en faire plus. Il était à bout de souffle. Pourtant son travail de courtier en transport n'était pas si exigeant que ça, mais il n'arrivait pas à s'y mettre. Seulement pour entrer la commande d'épicerie, il soufflait et courait après son souffle, alors Huguette lui disait: «Laisse tomber, je vais le faire». Il y a deux ans, un peu plus de deux ans puisqu'on était en janvier 1986, au moment d'aller en Floride à Noël, à la maison mobile, il avait dit:

— Je ne me sens pas capable de conduire la voiture.
— Pas grave, prends l'avion, j'irai en auto avec les enfants.

Et c'est ce qui arriva. Mais dans sa tête à elle, Huguette le sentait vraiment malade. Elle avait hâte de savoir ce qui en était. En fait, elle avait peur qu'il fasse du cancer. Elle le voyait souffrir profondément. Et comme ce n'était pas son genre de se plaindre pour rien, elle était inquiète. Elle se demandait ce qui se passait. En plein milieu d'un party, il disait: «J'ai mal au côté!»

Huguette pensait: «Ç'a beau être le stress, pendant un party, y a pas plus de stress qu'il faut», surtout qu'il s'amusait. «À un moment donné, ils vont m'arriver avec quelque chose d'irrémédiable!» Que pouvait-elle croire d'autre?

Depuis cinq ans qu'elle entendait ses éructations, qu'il s'assoyait sur le bord du lit, faisait une dizaine d'éructations et se couchait en se promettant: «Bon bien là, ça va digérer.» Mais le répit était de courte durée. Et il voulait tellement s'obliger à être bien qu'à un moment donné, il faisait du ménage, du bricolage, des réparations. Et Huguette lui disait: «Ce n'est pas nécessaire, alors assieds-toi, tu es fatigué.»

Ainsi un jour, malgré son trouble de respiration, il changea un robinet défectueux: elle l'aurait écrasé, tellement elle était furieuse de le voir forcer après les tuyaux dans l'état où il était. Elle l'aurait moulu dans le coin. Elle était tellement fâchée qu'elle lui dit: «Je ne te regarde pas faire tellement je suis choquée; je m'en vais.» Et elle sortit enragée. Et Gilles qui connaissait son péché mignon répondit: «C'est ça, va magasiner, je vais travailler!»

Gilles ne voulait penser à rien et quand il travaillait manuellement, ça l'occupait et il ne pensait à rien. Pour s'étourdir, il s'activait; ainsi, un bon samedi, il fit à manger pour une armée: un gros ragoût, une copieuse sauce à spaghetti, un rôti de porc, une bonne chaudronnée de soupe. Mais trop, c'est trop. En arrivant à la maison, devant l'abondance de victuailles, Huguette appela ses amis à son secours: «Venez souper, on va en avoir un peu moins à congeler, ça n'a pas de bon sens, mon mari est en train de devenir fou, il fait à manger aujourd'hui.»

Mais quand il faisait ça, il ne pensait pas à autre chose. Cependant Huguette l'exhortait: «Fais-en pas tant», car ça lui tapait sur les nerfs.

— La soupe, ça se conserve bien. Et ce n'est pas bon quand tu fais cuire des petites portions, c'est préférable les grosses quantités, lui souligna Gilles.

C'était sa manie; d'autres font autre chose; lui, il aimait cuisiner, alors...

Mais il continuait aussi à jouer à la balle molle, au golf. Ses amis le regardaient aller et s'exclamaient: «Gilles, tu nous surprends, tu avais l'air si fatigué en arrivant!»

Et Gilles souriait et s'en retournait à la maison rapidement après, prétextant un rendez-vous. Pas question pour lui de prendre un verre avec les autres: il était au bout de son rouleau, harassé.

Mais les gens voyaient bien que tout n'allait pas rondement. Les rumeurs circulaient à son sujet. Beaucoup pensaient à un cancer terminal. Même les Thibault, voyant que le mal s'aggravait, croyaient que les médecins ne voulaient pas leur dire que son état était irréversible. Et lui continuait à aller chez le médecin. Celui-ci diagnostiquait maintenant un stress et lui prescrivait des pilules pour les nerfs, de l'Ativan. Si Gilles se plaignait un peu plus, il doublait la dose d'Ativan. S'il mentionnait des douleurs au foie, le médecin lui prescrivait des purgatifs pour qu'il arrive à se nettoyer le foie. Et il l'envoyait en médecine interne. Quand Gilles revenait le voir, il lui disait: «Tu as passé toutes sortes d'examens et tu n'as rien, c'est le stress.» Et ce stress durait depuis cinq ans...

En décembre 1985, il s'envola avec Huguette pour la France, pour la Côte d'Azur et fit un très mauvais voyage. Il avait de la difficulté à respirer et était rendu au bout de sa corde.

Au cours d'une visite à Monte-Carlo, ils allèrent voir la levée de la garde au palais de Monaco. Et Gilles dut redescendre car il manquait d'air à cause de l'altitude. Et tout au long du voyage organisé, il laissa ses amis pour se coucher, se reposer. Le même trouble respiratoire s'était déjà manifesté lors d'un voyage dans les Alpes effectué en février 1981 où, au cours de la montée de l'Aiguille du Midi, au troisième palier, il se trouva bloqué, incapable d'aller plus haut. L'oxygène s'était raréfié et il pleurait au lieu de respirer; en fait, la respiration déclenchait les larmes, l'air ne passait pas. Habillés comme des oignons, pelure par dessus pelure, parce qu'il faisait terriblement froid, les voyageurs ne pouvaient bouger trop vite. On leur avait d'ailleurs dit de marcher lentement. Soudain, l'un après l'autre, une dizaine d'entre eux se mirent à pleurer.

Huguette, pendant ce temps, était rendue au sommet, trajet qu'elle avait fait en courant. On l'avertit qu'elle ferait mieux de redescendre parce que son époux manquait d'air. Le guide avait conseillé à ceux qui avaient eu des problèmes respiratoires d'aller consulter leur médecin, mais ni Gilles ni Huguette n'avait pris cet avertissement au sérieux. Ce n'est que rétrospectivement que Gilles se remémora tous ces incidents qui l'avaient peu frappé sur le coup. Huguette à l'époque avait bien noté machinalement que son époux avait perdu un peu de poids mais n'avait pas pensé que la cause puisse être morbide.

À leur retour d'Europe, ils partirent pour la Floride. Ce séjour est habituellement reposant pour toute la famille mais pas cette année-là. Ayant du mal à respirer, très fatigué, Gilles n'alla à la plage qu'une journée et n'y resta que quelques heures. Ce n'était pas tout à fait dans ses habitudes. D'ordinaire, il y passait tout son temps... Mais cette année-là, la chaleur le fatiguait, il faisait trop chaud, ça ne le tentait pas. La chaleur en plus de l'épuiser le laissait en nage alors que les autres ne transpiraient que vaguement.

Malgré cette situation, il ne pensait qu'à travailler. Il construisit une petite remise, changea le système de climatisation, répara la maison, posa un tapis gazon; il avait toujours quelque chose à faire et devait aller magasiner pour ses réparations. Comme Gilles travaillait tout le temps, les voisins se sentaient coupables de se reposer tout le temps. Et il n'y eut jamais autant de réparations et de travaux que cette année-là...

Quand Gilles avait fini de faire ce qu'il avait planifié, il faisait la cuisine. C'est ainsi que les amis purent bénéficier d'une énorme dinde, fourrée de viande: elle pesait 28 lb (12,7 kg). La veille, il avait fait un gros rosbif, l'avant-veille, un plantureux rôti de lard, du macaroni à la viande en quantité industrielle et du spaghetti pour les fous et pour les sages. Huguette qui prend toujours tout du bon côté, ne put toutefois s'empêcher de lui faire remarquer: «Tu es venu ici pour te reposer, veux-tu me dire quelle est l'idée de changer le tapis du solarium ou le système de climatisation ou de cuisiner sans arrêt par cette chaleur?» Mais elle dut bien se rendre à l'évidence que son homme n'avait qu'une idée en tête: c'était de s'activer!...

Revenu à Montréal, Gilles resta chez lui, n'osant appeler ses amis parce qu'il avait peur de les déranger. Comme il courait après son souffle tout le temps, il n'arrivait pas à parler normalement. En plus de se fatiguer, il avait l'impression de fatiguer les autres. Il se privait même d'aller chez le père d'Huguette et chez ses sœurs, Jacqueline, Nicole et Gisèle, par crainte de les importuner. Il se disait: «Quand je serai capable de parler, je parlerai, quand je pourrai sortir, je sortirai.» Il gardait toujours l'obsession toutefois d'aller voir le médecin et de se faire soigner.

Et pendant un mois, il s'est rendu à l'hôpital de Saint-Hyacinthe pour subir des examens tous les jours. Pour le foie, pour le cœur, pour les poumons, pour les intestins, pour l'estomac. On lui trouvait des petits malaises partout mais rien de bien précis.

Comme il avait mal au dos, Huguette, croyant qu'il avait peut-être quelque chose de déplacé lui suggéra d'aller voir son neveu le chiropraticien. Lors de sa première séance, Gilles eut l'impression qu'il lui passait les os à travers le corps. C'était un homme d'environ 230 lb (104 kg) et il exerçait toute sa force pour masser de sorte que Gilles en revint tout endolori. Mais, se disant qu'un traitement chez le chiro prend plus qu'une seule séance, il y retourna. Cependant, à chaque fois, à son arrivée à la maison, il disait à Huguette: «Je vais mourir, ça n'a pas de bon sens». Lorsqu'il y allait le soir, en revenant il se couchait et ne bougeait plus de la nuit. Comme il avait confiance en ce chiro, il se disait: «Dans le fond, il va sûrement me faire du bien». Il était si fatigué: «Quel martyre, je suis si épuisé que je ne suis plus capable de me tenir les épaules», confiait-il à sa femme.

Le chiro commençait à le tamponner à partir du cou et descendait; il lui sautait dans le dos et, à un moment donné, lui mettait les deux genoux dans le dos et le serrait tellement fort que ça craquait. Thibault se disait: «Tiens, me v'là défait!» Mais non. Seulement meurtri de partout. Le bureau du chiro n'était qu'au bout de la rue, mais Gilles, étouffé net, avait toute la peine du monde à revenir chez lui. Il arrivait à la maison blême comme un drap, s'asseoyait et essayait de bouger: ça craquait partout. Mais, comme on dit, ça changeait le mal de place... Pendant qu'il se remettait des manipulations du gros chiro, Gilles souffrait moins de son malaise habituel, mais le répit était de courte durée; et le lendemain midi, ça recommençait. Il pensait: «Si j'avais une petite pompe à bicyclette, je me brancherais après et ça m'aiderait à respirer.» Mais, à l'époque, il ne savait trop ce dont il souffrait.

Le temps passait, et Gilles continuait à se lamenter. En plus des autres malaises comme les «points» (ces douleurs perçantes qui le traversaient par moments), l'essoufflement, la fatigue, il avait développé une petite toux sèche. Huguette se rappela soudainement:

— Gilles, cette petite toux-là, c'est la même que tu avais en 1981, lors de ta péricardite!

— Ce nest pas ça, le médecin m'a dit que je n'avais rien au cœur, qu'il fonctionnait bien.

— Oui, mais c'est la même toux que tu avais, s'entêtait Huguette.

Elle ne pouvait le convaincre; sa foi en son médecin était inébranlable. Pourtant, quand elle revenait du travail à minuit, une heure ou deux heures, Gilles n'était pas couché et il toussait, toussait, toussait.

Il était rendu au point où il ne pouvait même plus se coucher. Il passait ses journées et ses nuits appuyé sur le comptoir de la cuisine et, s'il arrivait de la visite, il s'en allait dans sa chambre et s'appuyait sur le bureau. De cette façon, les bras accotés au bureau ou au comptoir, il ouvrait son thorax et était capable de respirer. Début février, Huguette confia à son amie

Pauline Nadeau: «C'est pas mêlant, il va mourir à la maison; et le médecin trouve qu'il n'a rien.» Son mari Jean-Marc qui travaille à l'École de médecine vétérinaire ne put s'empêcher de remarquer: «Les animaux sont mieux soignés que les humains; je pense qu'il faudrait amener Gilles chez un vétérinaire, il trouverait sûrement ce qu'il a.» Et il insistait pour que Gilles continue ses démarches.

Mais cette toux rappelait vraiment à Huguette la péricardite de son époux. En 1981, il avait consulté le médecin pour un malaise au thorax et ce dernier avait diagnostiqué une péricardite et expliqué qu'il s'agissait d'une inflammation de l'enveloppe du cœur qui entraînait un épanchement de liquide qui comprimait le cœur. Pour redonner la liberté de mouvement au cœur, il fallait soit faire une ponction, c'est-à-dire introduire une aiguille creuse dans le péricarde pour aspirer le liquide causé par l'inflammation et ensuite (ou alors) prescrire un médicament pour éliminer le liquide, c'est-à-dire un diurétique. C'est ce qu'on avait fait pour Gilles. Il avait dû cependant rester à l'hôpital. Il suivait un régime sans sel et prenait du Lasix et sept ou huit autres sortes de pilules, à trois reprises pendant la journée. Puis, au bout de ce temps, le médecin après les radiographies d'usage, le déclara guéri. Avant que se manifeste cette maladie cardiaque, Gilles avait travaillé fort. Il avait ouvert un restaurant. Les longues et éreintantes heures de travail nécessitées par cette profession l'exténuèrent à tel point qu'il décida de le vendre. Et le 4 juillet 1981 donc, se sentant plus essoufflé et épuisé que d'habitude, il se rendit à l'hôpital de Saint-Hyacinthe où on l'hospitalisa aux soins intensifs. Le médecin de garde appela Huguette pour lui dire: «Votre mari est plus malade que vous ne le pensez. Nous le gardons à l'hôpital.»

Il y resta six jours à la suite desquels on lui donna son congé. Mais il n'avait pu reprendre tout à fait son rythme de vie antérieure. Même la tondeuse à gazon lui était interdite. Tous les travaux demandant un effort physique soutenu étaient choses du passé. On l'avait aussi astreint à un régime rigoureux. Plus de gras, de sel, de sucre, d'alcool, de cigarette. Pendant deux ans et demi, Gilles arrêta de boire de l'alcool, de son propre chef, même si on lui avait dit qu'il pouvait recommencer modérément.

Au bout de deux ans et demi, il avait repris plus ou moins ses activités d'antan. Il avait recommençé à jouer au golf et à la balle molle. Il était parti à son compte comme courtier en transport: il devait trouver les meilleurs prix de transport de biens pour ses clients avec les meilleures compagnies de transport possible. Et il avait pu diriger sa petite entreprise jusqu'à Noël 1985.

Huguette pensa aussi à la radiographie du mois d'octobre 1985. Le médecin avait dit à Gilles que son cœur était un peu plus gros que sur les radiographies qui dataient de 1981. Et Gilles s'était inquiété. Mais le médecin l'avait vite rassuré en mentionnant qu'alors son cœur était comprimé par l'eau et qu'une fois l'eau enlevée, il avait repris sa grosseur normale. Comme Gilles avait confiance en son médecin, il l'avait cru et avait cessé de penser que ce pouvait être son cœur qui lui causait des ennuis...

En désespoir de cause, le vendredi 7 février 1986, Huguette se rendit avec Gilles chez le médecin pour une n^{ième} fois et lui dit avec décision:

— Il faut faire quelque chose parce qu'il ne peut pas rester comme ça dans la maison.

— Tu peux toujours prendre une chance à l'Hôpital Pierre-Boucher à Longueuil car ici à l'Hôpital Honoré-Mercier, ils ne le prendront pas. J'ai les résultats de tous les examens médicaux et il n'a rien d'anormal.

— Il n'a peut-être rien, mais il a quelque chose, et il va mourir à la maison.

— Bien non, bien non, ne t'en fais pas, c'est une grippe musculaire; tout le monde en a de ce temps-ci.

Gilles était sorti du bureau un peu rassuré, réconforté que ce ne soit plus du stress mais seulement une grippe musculaire. Ce qu'il ne comprenait pas cependant, c'est qu'on lui disait qu'il n'avait rien de défectueux et que sa dernière prescription montait à 190 $. Pour un homme en bonne santé... juste un peu stressé... C'était pas mal beaucoup.

Le jour du vingt-cinquième anniversaire de mariage de Gérard Thibault, l'un des frères de Gilles, Huguette proposa à son mari d'aller consulter ailleurs qu'à Saint-Hyacinthe:

— Veux-tu qu'on aille à Pierre-Boucher?
— Mais non. Le médecin a dit que je n'avais rien; je ne suis pas pour aller faire rire de moi là; s'ils ne m'ont rien trouvé ici, ils ne trouveront rien là!

Ce samedi soir donc, on fêtait Gérard et Pauline, lors d'une réunion communautaire à l'église:

— Viens-tu? demande Huguette à Gilles.
— Je ne puis y aller, je vais étouffer.
— Bon, si tu ne peux y aller, nous resterons à la maison.

Le lendemain, le dimanche 9 février 1986, Gérard vint prendre des nouvelles de son frère et devant son air défait supplia Huguette:

— Fais quelque chose, ses pieds sont tout enflés.

Huguette décida de rappeler le fameux omnipraticien de Saint-Hyacinthe:

— Docteur, ses pieds sont très enflés et il est très malade, il faut absolument le soigner.
— Amène-le donc à Pierre-Boucher, ça serait peut-être la meilleure chose.

Aussitôt dit, aussitôt fait. L'Hôpital Pierre-Boucher, sis à Longueuil en banlieue de Montréal est un centre hospitalier très moderne, équipé à faire pâlir les hôpitaux universitaires et, fait assez rare sinon unique dans l'histoire de la médecine, regroupe un personnel dont l'âge moyen est de 29 ans. Ce qu'il manque en expérience, il le rattrape en motivation, dynamisme et décision. Un seul regard sur Gilles Thibault et l'infirmière à l'urgence dit à Huguette:

— Madame, allez stationner votre voiture, je m'en occupe, il a l'air plutôt mal en point.

Gilles sortit alors sa carte soleil, la carte d'assurance-maladie, et elle lui dit:

— On fera ça tout à l'heure, venez avec moi tout de suite dans la salle à côté.

En moins de deux, Gilles se trouva déshabillé, étendu sur une civière; on préleva son sang, on prit sa pression. Tout ça sans que son admission à l'hôpital n'ait été faite. Huguette était émerveillée de voir, à son retour, que l'humanisme prenait le pas sur la bureaucratie. Elle avait la nette impression qu'on s'occupait enfin vraiment de son mari, qu'on le prenait au sérieux, cet homme si courageux qui ne voulait jamais déranger personne. Un soupir de soulagement lui échappa. Le médecin qui se trouvait au chevet de Gilles tâta le cœur, l'ausculta, puis, levant la tête, dit à Huguette qu'il avait déjà appelé le cardiologue de garde. Par chance, il se trouvait à l'hôpital et descendrait tout de suite voir Gilles.

Le Dr Anne Ouellet, cardiologue, est une personne remarquable. Et pas seulement dans l'esprit des Thibault, renversés d'avoir des soins aussi rapides et efficaces. Ce jeune médecin a une présence enveloppante. Un des malheureusement trop rares disciples d'Esculape à avoir une empathie naturelle pour les gens, elle rassura Gilles et fit les examens d'usage. Après l'électrocardiogramme, un examen révélant le rythme de battement du cœur, elle annonça à Gilles et Huguette:

— Nous allons vous garder sous observation cette nuit, Monsieur Thibault.

Et toute la nuit, on s'est occupé de lui. Il ne pouvait pas plus se coucher qu'à la maison, mais de savoir qu'on le traitait enfin, il lui semblait souffrir moins.

À l'arrivée d'Huguette, le lundi en début d'après-midi, le Dr Ouellet était auprès de Gilles avec une résidente cardiologue:

— Madame Thibault, nous allons garder votre mari avec nous, il a un grave problème de cœur et il faut consulter d'autres cardiologues. Je vous tiendrai au courant.

Puis s'ensuivirent observation, anamnèse, c'est-à-dire l'ensemble des renseignements recueillis auprès du malade ou de son entourage sur l'histoire et les détails de sa maladie, et tests. Le mardi, Gilles avait une pneumonie en plus de ses troubles cardiaques. Pour la diagnostiquer, le Dr Ouellet avait fait monter les appareils de radiographie à sa chambre. Elle était bien dépitée que la maladie se soit aggravée, car elle voulait faire faire un cathétérisme cardiaque.

Elle dut attendre que sa santé se rétablisse un peu et, lorsque la pneumonie fut guérie, soit le jeudi 13 février 1986, elle envoya Gilles à l'Hôtel-Dieu pour son cathétérisme. Puis, on le ramèna à l'Hôpital Pierre-Boucher. Le lendemain, le mercredi 14 février, jour de la Saint-Valentin, le Dr Ouellet vint le voir et lui annonça qu'il avait le cœur tellement malade qu'il ne pouvait plus fonctionner. Elle lui dit que la seule solution serait de lui donner un cœur de rechange. Gilles était complètement renversé. Ça ne lui avait jamais effleuré l'esprit d'être obligé d'avoir dans son corps d'autres organes que les siens. Il avait déjà entendu parler des greffes mais c'était bien loin de lui. Quand le Dr Ouellet lui a parlé d'une greffe cardiaque, sur le coup, il n'a presque pas réagi; mais dès sa sortie de la chambre, il s'est mis à pleurer à chaudes larmes. Et Huguette qui n'était pas là. Elle était au Lac Saint-Jean pour son travail.

Dans l'après-midi, Monsieur et Madame Robert Giasson, le père et la mère d'Huguette, Gisèle Archambault, la sœur d'Huguette et son mari François, vinrent le voir à l'hôpital. Peu bavard parce que trop ému par ce mauvais coup du sort, Gilles finit toutefois par leur annoncer qu'il devrait subir une transplantation cardiaque. Ils en furent tous fortement secoués. Une greffe, ça n'arrive pas tous les jours quand même. Gisèle refusa même de le croire. Elle se dit en elle-même: «Pour moi, il a mal compris» et, tout haut, dit à Gilles: «Fais toi-z-en pas Gilles» pour le rassurer, certaine qu'il avait mal saisi.

Le lendemain matin, Huguette appella Gilles à l'hôpital et dès qu'il entendit sa voix au bout du fil, il se mit à pleurer et lui dit d'une voix entrecoupée de sanglots: «Il faut qu'ils changent le moteur...» Comme sa sœur Gisèle, Huguette se dit: «Pour moi il a mal compris. Dès que j'arriverai, j'irai en parler au médecin. D'après moi, ce n'est pas ça». Et comme sa sœur la veille, elle essaya de le consoler tant bien que mal.

À son arrivée à l'hôpital, le jour même, Huguette trouva Gilles dans un état d'agitation qui ne lui est pas coutumier. Il avait la larme à l'œil et répétait: «Ah non! Jamais. Pas pour moi; je ne le prends pas; je ne changerai pas de moteur; écoute, c'est pas des farces quand tu parles de changer de moteur.» Huguette le laissait dire, certaine qu'il ne s'agissait que d'un pontage comme le lui annoncerait le Dr Anne Ouellet qu'elle devait voir le lundi suivant.

Devant le déni de ceux qui l'entouraient, Gilles se prenait à douter de ses facultés. L'espoir l'avait gagné et il attendait que Huguette revienne avec la nouvelle que ce n'était qu'un pontage, c'est-à-dire la greffe d'un bout de veine et non pas le changement de tout le cœur.

Les cardiologues se succédaient à son chevet. Tous les collègues du Dr Ouellet venaient lui poser mille et une questions, l'ausculter, le palper et Gilles n'osait leur en poser une seule. Peu «questionneux» de nature, il se réconfortait en pensant: «Ce qu'ils veulent me dire, c'est bien. Ce qu'ils ne veulent pas me dire, c'est encore bien.» Et au fond de lui-même, il était bien heureux que personne ne lui confirme le diagnostic du Dr Ouellet.

Elle lui avait parlé d'un certain docteur Guerraty de l'Hôpital Royal Victoria qui se spécialisait dans la transplantation cardiaque. Il viendrait le voir afin de décider s'il n'était pas trop malade pour subir une greffe. Elle avait l'air très sûre d'elle, le Dr Ouellet. Pas du tout du genre à raconter n'importe quoi. Alors Gilles lui faisait confiance malgré toutes ses déconvenues avec les médecins.

Le lundi 17 février 1986 à son lever, Martin, le grand fils de 17 ans de Gilles et Huguette, vint voir sa mère:

— Maman, est-ce que je peux me rendre avec toi voir le Dr Ouellet?

— Oui, c'est une bonne idée, Martin.

Et ils partirent ensemble au bureau du Dr Ouellet à l'Hôpital Honoré-Mercier de Saint-Hyacinthe, car elle y faisait aussi de la clinique.

Elle leur expliqua qu'il s'agissait bien d'une greffe cardiaque, que le cathétérisme était indiscutable: le cœur était fini. Elle avait consulté ses collègues et tout le monde était d'accord. La prochaine étape était la rencontre avec le chirurgien cardiaque, le Dr Albert Guerraty. Elle souligna aussi que c'était un traitement qu'on offrait à Gilles mais qu'il était libre de le refuser s'il ne le voulait pas. Elle leur conseilla aussi d'en parler beaucoup avec lui afin qu'il en vienne à se familiariser avec l'idée d'un nouveau cœur.

En sortant de l'hôpital, Huguette demanda à son fils:

— Martin, qu'en penses-tu?

— Moi, m'man, je pense que c'est juste le commencement!

Et ils se rendirent à Longueuil pour dire à Gilles que, bien que tout le monde l'ait cru «capoté», c'était bien lui qui avait raison et qu'on parlait bel et bien d'une transplantation cardiaque comme seul traitement possible...

En plus d'apprendre cette nouvelle, Gilles avait des démêlés avec son voisin de lit. C'était un homme un peu perdu qui se mettait à hurler au beau milieu de la nuit. Déjà insomniaque à cause de sa maladie, Gilles se faisait réveiller en sursaut, dès qu'il avait réussi à s'assoupir un peu. Un bon jour, il s'est fâché et a dit à l'infirmière:

— Vous le sortez de cette chambre ou vous me sortez!

— On vous comprend Monsieur Thibault et on va le changer de chambre tout de suite.

Ce qui fut fait. Dès le lendemain matin, elle revint voir Gilles et le transféra à son tour de chambre. À huit chambres du fameux bonhomme, Gilles l'entendait encore hurler mais au moins ce n'était pas à travers l'épaisseur du rideau. Gilles s'en voulait d'avoir montré de l'impatience, d'avoir dérangé les gens. Ce n'était pas son genre. Il se trouvait agressif, fatigant.

Mais le personnel n'était pas du même avis. Ils sympathisaient avec cet homme si malade. On finit par lui donner son congé, dès la guérison complète de sa pneumonie. Il retourna donc à la maison, mais au bout de quelques jours, il recommença une autre pneumonie, cependant cette fois, une bronchopneumonie. Il dut donc rentrer à Pierre-Boucher. Le Dr Ouellet était atterrée. Elle lui prescrivit des médicaments.

Après en avoir pris un, Gilles se trouva incapable de souffler, de respirer, et se retrouva en nage. Huguette s'inquiéta:

— Enlevez-lui ce médicament, il doit y être allergique.

— Mais non, Madame, lui répondit l'infirmière. Il faut le lui donner.

— Trouvez-en un autre, ça n'a pas de bon sens.

Mais rien ne changea et personne ne bougea. C'est alors que Gilles décida de jeter ses pilules au panier car il voyait bien qu'elles le rendaient plus malade. Il défendit à Huguette d'en souffler mot.

— Tu serais peut-être mieux d'avertir si tu ne veux pas les prendre; c'est ton droit, mais au moins, dis-le.

— Ils ne le sauront pas. Ils sont dans le panier et ils vont rester là.

L'infirmière qu'il aimait le mieux entra dans sa chambre un peu plus tard. Gilles lui fit signe d'approcher et lui dit tout bas:

— Ces médicaments me rendent plus malade. Après les avoir pris, j'ai de la difficulté à respirer, je transpire à grosses gouttes. Je les ai jetés dans le panier, je n'en prends plus.

— C'est bien, j'en parlerai pas mais vous êtes bien fin de me l'avoir dit.

Elle revint trois heures plus tard:

— Monsieur Thibault, je vais faire une entente avec vous: vous n'avez pas pris la pilule de cinq heures et je vois que vous êtes vraiment mieux. Je vais donc dire au médecin que vous allez bien, mais me permettez-vous de lui dire que vous ne l'avez pas pris?

— D'accord, vous pouvez lui dire.

Et il ne revit plus ces pilules. On continua toutefois à le soigner pour sa bronchopneumonie.Le temps s'étirait. Lyne, l'aînée, vint de Vancouver pendant les vacances de Pâques. Et ces vacances, elle les passa à l'hôpital avec son père. En le voyant, elle se jeta dans ses bras et lui posa cinquante-six questions. Elle s'en était tellement fait pour lui qu'elle voulait se rassurer. Mais elle dut malheureusement repartir. Gilles fut si heureux de sa visite qu'il oublia son départ et le vide qu'il en avait ressenti. Il s'imagina qu'elle était partie pendant son sommeil, alors qu'elle l'avait embrassé à plus d'une reprise, et lui de même, ajoutant en plus:

— Bye bye, fais ta bonne fille.

Mais ce fut une période particulièrement pénible que celle-là puisqu'en plus de sa difficulté respiratoire, Gilles toussait à fendre l'âme, une toux sèche, qu'il trouvait exténuante. Sa bouche était asséchée, ce qui l'obligeait à boire sans arrêt.

Aussi apprécia-t-il vivement la visite de ses grands amis du Lac Saint-Jean, Gaétane et Normand Laberge de même que Françoise et Richard Bernier, qui firent le voyage uniquement pour le réconforter. Gilles était consterné à l'idée qu'ils se soient déplacés juste pour lui. Alors Huguette le rassura: «Non, non, ils venaient par affaires, alors ils en ont profité pour venir te voir.» Mais ils étaient venus par amitié et en sortant de l'hôpital ils s'étaient dit tout attristés: «C'est la dernière fois que l'on voit Gilles...»

Peu après, sa bronchopneumonie finit par guérir et on lui confirme qu'il pouvait enfin être transféré à l'Hôpital Royal Victoria. Et Gilles se mit à réfléchir à sa situation. Pourquoi avait-on pris tant de temps à diagnostiquer sa maladie? Comment se faisait-il que les médecins ne connaissaient pas plus que ça les troubles que pouvait engendrer le cœur?

Lui-même d'ailleurs ne comprenait pas tout à fait pourquoi le cœur était responsable de tout ça. Et il est vrai que c'était bien complexe...

II
Le cœur, son mécanisme et ses traitements

En effet, ce muscle creux aux perpétuelles contractions rythmiques, responsable de l'incessante circulation du sang, qu'est le cœur, symbolise l'unité de l'être vivant. De tout temps, on a dit qu'il était le siège de l'âme, l'endroit d'où le souffle vital se répandait à travers tout le corps. Mais depuis le XVIIe siècle, on sait qu'il est une pompe qui projette le sang dans tout l'organisme. Le cœur commence à battre chez le fœtus à la troisième semaine de la vie. À sa maturité, ce gros organe est charnu et pèse à peu près 270 g (9,5 oz). Il se situe au centre du thorax entre les deux poumons. De forme pyramidale, le cœur est orienté en avant à gauche. Placé au-dessus du foie, sa pointe, qui appartient au ventricule gauche, forme le sommet de la pyramide. La base est en haut, vers l'arrière et la droite, et entre en contact avec le poumon droit, l'œsophage et la colonne vertébrale; les artères en partent et les veines y arrivent. Il se compose de quatre cavités regroupées deux à deux, comportant une oreillette suivie d'un ventricule, à droite et à gauche. Entre ces deux demi-cœurs, complètement séparés par une cloison, les poumons ont comme fonction d'oxygéner le sang.

Le cœur droit reçoit, par les deux veines caves, le sang bleu, pauvre en oxygène, riche en gaz carbonique, produit des déchets de l'organisme, et l'emmagasine dans l'oreillette. C'est alors qu'entre en jeu le ventricule qui le canalise vers l'artère pulmonaire reliée aux deux poumons. Ces derniers l'oxygènent, ce qui lui donne sa couleur pourpre en raison du pigment des globules rouges chargés du transport de l'oxygène, puis le relaient aux veines pulmonaires qui l'acheminent vers l'oreillette puis le ventricule gauches d'où il est expulsé vers l'aorte, porte d'entrée de sa dissémination à travers le corps.

Cette pompe qu'est le cœur, est aussi munie d'un système de valvules (dispositifs permettant d'arrêter un débit) qui séparent les cavités droites et gauches et font office de soupapes sur toutes les cavités, afin que le sang vicié du cœur droit circule toujours dans la même direction. Ainsi, chaque ventricule est en communication avec l'oreillette qui lui correspond. Il en est séparé, à gauche, par la valvule *mitrale* qui compte deux valves ou feuillets et, à droite, par la valvule *tricuspide* qui se compose de trois feuillets. Il en est de même pour les orifices artériels, soit l'artère pulmonaire au ventricule droit et l'aorte au ventricule gauche qui sont munies de valves à trois feuillets ou coupoles, les valvules *sigmoïdes*, concaves (présentant une surface en creux) vers l'artère.

Le passage du sang est prévu d'oreillette vers ventricule et de ventricule vers artère; s'il tente de s'inverser, la valvule se referme et devient étanche.

Le cœur est régi par son propre système nerveux autonome mais est influencé par les systèmes *vagosympathique* et *endocrinien*. Le faisceau nerveux origine de l'oreillette droite pour se répandre à toutes les cavités cardiaques transmettant ainsi l'impulsion (force créant un mouvement) nerveuse.

Cette pompe est aussi et surtout un muscle, soit le *myocarde*. Les fibres de ce muscle se regroupent en faisceaux. Ceux-ci sont toutefois indépendants car chaque oreillette et chaque ventricule possède ses propres fibres.

On trouve de plus, dans le myocarde, des faisceaux spéciaux constituant le tissu nodal qui est, en fait, le véritable système de commande du cœur. Il se compose du *nœud sinusal*

(NS) ou nœud de Keith et Flack et du *nœud auriculoventriculaire* (NAV) ou nœud de Tawara qui se prolonge en un faisceau appelé *faisceau de His* (H), lequel se divise en deux branches qui se ramifient et aboutissent au *réseau des cellules de Purkinje.*

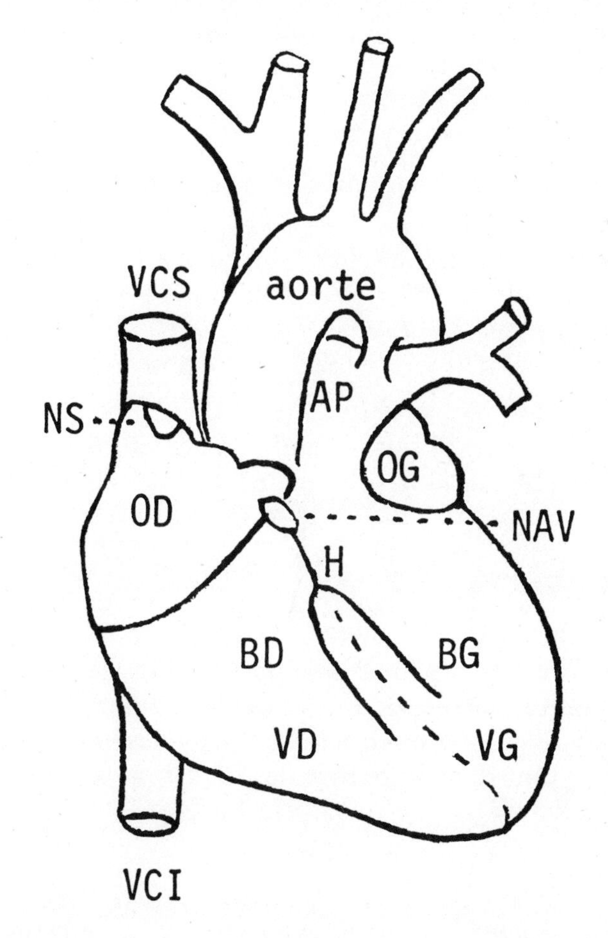

Pour faire circuler le sang, le myocarde doit se contracter de façon rythmique. La contraction elle-même s'appelle *systole* et la dilatation *diastole.* Ces resserrements et repos se produisent à une cadence régulière, sans interruption, les oreillettes se contractant simultanément avant les ventricules dont les mouvements sont aussi concurrents.

On pourrait donc dire que le cœur est une station de pompage reliée à un réseau de canaux; les artères acheminent le sang oxygéné à tous les organes, les capillaires permettent que s'échangent des substances diverses entre les tissus et le sang, et les veines ramènent le sang chargé des déchets de l'organisme vers le cœur. Celui-ci l'envoie aux poumons où a lieu une deuxième circulation. La première, la circulation périphérique, est assurée par le cœur gauche et la deuxième, la circulation pulmonaire, dépend du cœur droit.

Le sang arrive aux poumons par le biais de l'artère pulmonaire (AP), puis par ses branches gauche et droite, puis par leurs ramifications. Le sang se charge d'oxygène au niveau des capillaires au contact des alvéoles pulmonaires. Ensuite, le sang purifié retourne au cœur par les quatre veines pulmonaires qui aboutissent à l'oreillette gauche.

Le rythme du cœur d'un homme est d'environ soixante-dix battements par minute, celui d'une femme d'environ soixante-dix-sept et celui d'un bébé, d'environ cent-trente. C'est dire que plus un cœur est petit, plus vite il bat.

Grâce à Laënnec et à son stéthoscope, on peut entendre les bruits du cœur. Un battement produit deux bruits. Le premier résulte des vibrations des valvules de l'aorte et de l'artère pulmonaire qui s'ouvrent pour laisser passer le flot de sang provenant de la contraction des deux ventricules; le deuxième résulte des vibrations de fermeture des mêmes valvules qui empêchent le sang de revenir dans le ventricule. La systole a lieu entre le premier et le deuxième bruit, et la diastole, entre le deuxième et le premier.

Lorsque le cœur est malade, les bruits changent de son. Il se produit des *souffles* qui peuvent être dus à un mauvais fonctionnement des valves et des valvules, à la dilatation des cavités du cœur ou à la présence de communications anormales.

Un médecin expérimenté arrive à déceler, selon la tonalité et le rythme, l'origine et le type de souffle. De nos jours cependant, toute une technologie l'aide à compléter son enquête.

Selon l'état d'une personne, le sang est expédié à travers son corps d'après des pressions diverses. La mesure de la pression ou tension artérielle permet au médecin de connaître l'état du cœur et des artères. La haute pression correspond à la systole ou contraction et la basse pression correspond à la diastole ou dilatation. La pression normale est de 120 pour le haut et de 80 pour le bas. Tout effort ou émotion peut faire varier ces chiffres. Ainsi, lorsqu'un médecin de famille examine un malade qu'il connaît bien, celui-ci aura une pression plus basse que si c'est un médecin qui lui est étranger, surtout si le patient est un émotif.

La pression se prend à l'aide d'un brassard que l'on installe au bras en haut du coude, relié à un *manomètre* ou appareil servant à mesurer la pression d'un fluide contenu dans un espace fermé.

Pour comprendre le langage du cœur, on a recours à l'électrocardiographie, soit un procédé d'exploration cardiaque permettant de recueillir les courants électriques produits par le cœur.

L'appareil électrique servant à enregistrer les courants d'action créés par l'activité cardiaque est un *électrocardiographe*.

Système nerveux autonome, le cœur engendre des courants électriques qui se transmettent jusqu'à la surface de la peau. C'est là qu'au moyen d'électrodes ou petites tiges métalliques, on peut les recueillir, les amplifier et les enregistrer. Il faut les amplifier ces courants électriques corporels, car ils sont extrêmement faibles, c'est-à-dire à peu près un millième de volt ou 1 500 fois moins puissants que la plus petite des piles de poche.

Une fois ces signaux enregistrés sur un papier (électrocardiogramme), le médecin peut comprendre les différentes phases de la contraction cardiaque. L'électrocardiogramme (ECG) est donc l'enregistrement de l'activité électrique du cœur.

Les différentes ondes de l'ECG se désignent par les lettres P, Q, R, S et T:

• l'onde P signale l'activité des oreillettes;

• le complexe QRS se rapporte à la «dépolarisation (perte de charges électriques positives) ventriculaire»;

• l'onde T représente la «repolarisation (récupération de charges électriques positives) ventriculaire»;

(la ligne de base entre deux complexes P Q R S T se nomme *isoélectrique*: elle correspond à l'absence de toute activité électrique);

• l'onde Q est l'onde négative qui précède l'onde R;

• l'onde R est la première onde positive alors que la deuxième est l'onde R';

• l'onde S est l'onde négative qui suit l'onde R;

• les ondes de faible amplitude se désignent par des lettres *minuscules*;

• les ondes de grande amplitude s'indiquent par des lettres *majuscules*.

Un rythme normal en cardiologie est le rythme sinusal. C'est celui qu'impose à l'ensemble du cœur le nœud sinusal (NS).

Ce nœud est le centre de commande normal du cœur; il siège dans l'oreillette droite, près de la veine cave supérieure (VCS); c'est le foyer d'automatisme le plus rapide du tissu nodal et il entraîne les ventricules grâce aux voies de conduction.

Les voies de conduction relient les oreillettes (O) et les ventricules (V); elles se composent du:

a. nœud auriculoventriculaire (NAV) qui protège les ventricules d'une fréquence articulaire trop rapide:

b. faisceau de His (H) qui se scinde en branche droite (BD) et branche gauche (BG) pour chaque ventricule; on le nomme aussi faisceau atrioventriculaire (voir illustration).

Pour réussir à avoir une idée très précise du fonctionnement d'un cœur malade, le médecin a recours à une foule d'instruments et d'appareils. Pour explorer le cœur, il peut faire, entre autres, une radiographie, une angiographie, un cathétérisme, une biopsie ou une échographie.

RADIOGRAPHIE

La radiographie est une technique non effractive, c'est-à-dire qu'elle ne nécessite pas d'entrée à l'intérieur du corps pour en avoir une image ou un cliché.

ANGIOGRAPHIE

Mais pour pouvoir photographier le cœur et les vaisseaux, il faut injecter dans le sang une substance iodée opaque aux rayons X, qu'on appelle aussi produit de contraste ou colorant, qui permettra de voir les cavités du cœur et les vaisseaux. Cette exploration du cœur, c'est l'angiographie. Elle est effractive à cause de la piqûre. Lorsque la substance opaque passe à l'intérieur du cœur et des vaisseaux, les techniciens prennent des radiographies. Ils peuvent aussi utiliser une caméra de cinéma adaptée à l'écran de l'appareil de radiographie. Ils auront alors une image vivante du trajet du sang à travers le cœur et les vaisseaux des poumons, et pourront voir les anomalies des valvules ou les communications anormales.

Une autre façon de visualiser la circulation pulmonaire et la circulation périphérique consiste à injecter un produit radioactif dans les veines. Grâce à un appareil situé devant lui, le médecin peut alors suivre le trajet du sang radioactivé et détecter les troubles de fonctionnement.

CATHÉTÉRISME

Pour effectuer une angiographie sélective, c'est-à-dire d'un endroit très précis, on doit avoir recours au cathéter ou sonde. Ce procédé est encore plus effractif que la simple piqûre. Sous asepsie rigoureuse, c'est-à-dire une méthode empêchant l'introduction de microbes dans l'organisme, on pratique une anesthésie locale, c'est-à-dire une suppression de la sensibilité à la douleur en un endroit très précis. Puis, un petit coup de bistouri permet au médecin d'introduire un guide ou canule, c'est-à-dire un mince tube creux en plastique, jusqu'à l'artère ou la veine à emprunter. À travers ce tube, il fait passer un trocart (déformation de «trois-quarts», car la pointe triangulaire est munie de trois côtés aigus et coupants). Il s'agit d'une tige métallique cylindrique, montée sur un manche, qui se termine par une pointe triangulaire. Elle peut se glisser dans la canule qui n'en laisse dépasser que la pointe. C'est cette pointe qui ouvre le vaisseau et permet d'y introduire la canule. On peut ensuite retirer le trocart et l'accès est libre pour les tubes que l'on veut y glisser. Le premier tube à être inséré est un guide rigide que l'on pousse jusqu'à l'endroit que l'on veut examiner. Puis, sur ce tube rigide, le médecin enfile ensuite une sonde (tube souple creux en téflon, dacron ou polyéthylène). Cette sonde peut n'avoir qu'un orifice au bout ou plusieurs orifices selon son utilisation. On la fait remonter ou descendre vers le cœur, d'après l'endroit d'où elle part. Si c'est de l'artère fémorale, située au haut de la cuisse, on la remonte vers le cœur; si elle est introduite par l'artère jugulaire interne, on la descend vers le cœur. Puis on retire le guide.

Cette fine sonde peut recueillir des échantillons de sang, où on le désire, mesurer la pression à des niveaux différents à cause des orifices qui la percent, signaler le rétrécissement d'un orifice, enregistrer les divers bruits cardiaques grâce à un minimicroscope installé à sa pointe, capter les courants électriques lorsqu'une électrode y est adjointe, ou injecter des substances colorées ou opaques qui permettront de prendre des radiographies à cadence très rapide et des films du cœur ainsi que d'en télésurveiller le déplacement au fil des contractions, selon le trajet dans les veines et artères.

BALLONNET GONFLABLE

La sonde peut aussi être munie d'un ballonnet gonflable fixé à son extrémité. Au bout du ballonnet se trouve un marqueur radioopaque pour pouvoir le diriger à l'endroit où on veut l'installer. Le ballonnet, une fois rendu au bon endroit, est gonflé par l'intermédiaire d'un appareil auquel est relié l'autre bout de la sonde. On se sert du ballonnet pour soit élargir une artère resserrée par la sclérose soit aller chercher un caillot de sang qui obstrue une artère, lorsqu'on n'a pas réussi à le déloger par des produits qui dilatent les vaisseaux (vasodilatateurs) ou par des substances qui le désagrègent (thrombolysants). En insérant un ballonnet gonflable dans l'artère où se trouve un caillot et en le faisant dépasser le caillot, on le gonfle et, en le retirant, il ramène avec lui le caillot. Lorsque ce dernier se trouve au niveau de l'incision par laquelle la sonde a été introduite, on le sort au moyen de petites pinces.

Le ballonnet gonflable peut aussi aider le travail du cœur comme par exemple lorsqu'on l'installe dans l'aorte (ballonnet intraaortique). Le gonflement du ballonnet pendant la diastole (dilatation) entraîne une augmentation diastolique ou une élévation de la perfusion coronarienne; un dégonflement rapide du ballonnet juste avant la systole (contraction) réduit le travail ventriculaire. Grâce à un système informatique hautement spécialisé, le ballonnet intraaortique fonctionne selon le rythme du cœur. Il a été conçu pour se dégonfler au moment de l'onde R, mais, lorsque le cœur est arythmique, la machine s'en rend compte et commande le dégonflement au bon moment. Le ballon intraaortique sert donc de soutien mécanique temporaire au ventricule gauche selon le principe de la contrepulsion artérielle lors de défaillances ventriculaires gauches. Par l'intermédiaire des variations de pression d'un gaz (hélium), le ballonnet est animé de mouvements d'inflation diastolique et de déflation systolique rythmés par l'électrocardiogramme.

On s'en sert aussi, entre autres, comme assistance préopératoire à la chirurgie cardiaque lors de défaillances ventriculaires gauches et d'ischémie (diminution de la circulation sanguine).

Le produit de contraste est injecté sous une pression donnée, à un débit constant. Il est maintenu à la température de l'organisme. On introduit habituellement le produit de contraste au moment de l'onde R pendant la diastole.

La photographie des cavités cardiaques opacifiées se fait soit par sériographie (radiographies prises en série, à cadence plus ou moins rapide), soit par cinéangiographie (films en 16 ou 35 mm pris à des vitesses variant de 50 à 200 images par seconde, projetées au ralenti ou image par image).

BIOPSIE

Au cathéter, on peut aussi substituer une pince, munie de mâchoires, qui peut prélever un fragment d'organe ou de tissu. Actionnée comme un ciseau et dirigée par voie endoscopique (explorant les conduits) jusqu'au lieu que l'on veut examiner, la pince à biopsie permet de soumettre le prélèvement à des tests histologique, biochimique, microbiologique et immunologique. On s'en sert beaucoup lors de la greffe cardiaque pour vérifier les risques de rejet.

ÉCHOGRAPHIE

Pour effectuer une investigation vasculaire, on utilise aussi l'ultrason. Le son que peut entendre l'oreille humaine s'étend de 30 à 15 000 Hertz. L'ultrason a une fréquence supérieure à 20 000 Hertz. Et les fréquences nécessaires pour le diagnostic cardiologique sont de 1,5 à 12 mégahertz (MHz) et les intensités inférieures à 100 milliwatts par centimètre carré.

En envoyant des vibrations de haute fréquence, pulsées et réfléchies, on peut étudier les effets de retour des échos que produit l'ultrason lorsqu'il frappe les diverses structures cardiaques. Les échos sont transmis à un oscilloscope et enregistrés sur film. Cet examen est non effractif.

ÉPREUVE D'EFFORT

Il peut arriver que, pour préciser certains phénomènes, on ait recours, en même temps qu'on fait un cathétérisme cardiovasculaire, à une épreuve d'effort. Cet effort doit être progressivement croissant. On ne l'arrête que lorsque surviennent des signes pathologiques (de maladie).

Deux types d'appareil d'exercice peuvent s'utiliser: la bicyclette ergométrique et le tapis roulant. Le freinage de la bicyclette ergométrique est électromagnétique et la charge est indépendante de la vitesse de pédalage. L'effort se mesure en watts. Avec le tapis roulant, l'effort à déployer est plus grand. Son intensité s'évalue à partir de la vitesse de la marche ou de la course, et de la pente ascendante du tapis.

Cette épreuve d'effort permet de voir l'évolution de l'électrocardiogramme, du repos à l'effort maximal. Pour pouvoir prendre l'ECG, on met en place des électrodes autocollantes.

Une fois diagnostiqué le trouble, grâce à l'un des examens de dépistage, le médecin peut ouvrir le cœur et aller le réparer. Il lui est maintenant possible de le faire grâce à la pompe extracorporelle ou appareil de cœur-poumons qui assure la circulation du sang à la place du cœur et vide le cœur.

En effet, pour pouvoir penser à une opération à cœur ouvert, il faut remplacer le travail de pompe du cœur. Un cœur normal «pulse» de 70 à 77 fois par minute pour distribuer cinq litres (un gallon) de sang à chaque minute. Ces contractions rythmées assurent la circulation sanguine. Comme on ne peut arrêter le mouvement du cœur plus de trois minutes sans danger pour le cerveau et plus de cinq minutes sans danger pour le cœur, un mécanisme extérieur s'impose: c'est la circulation extracorporelle.

Le médecin introduit d'abord dans le cœur du malade une sonde pour contrôler les pressions des diverses cavités. Puis, il prépare les vaisseaux auxquels seront abouchés les tubes en matière plastique qui relieront l'opéré à la machine: un dans l'aorte et un dans l'oreillette droite. Le travail de l'appareil, une fois branché sur le corps humain, consiste à remplacer le cœur et les poumons, c'est-à-dire à faire circuler le sang et à l'oxygéner. Une fois vidé de son sang, le cœur continue à battre régulièrement au fond du thorax. Il faut alors arrêter les battements, ce que fait le chirurgien en injectant dans les artères coronaires une solution à haute teneur de potassium.

Puis, il procède en faisant baisser la température centrale jusqu'à 25° C (77° F) ou même 20° C (68° F) au moyen d'un appareil permettant le contrôle de la température du sang injecté. Une fois le corps refroidi, ses besoins en oxygène sont infimes. Le cœur et les poumons arrêtés, le cerveau au ralenti et les fonctions organiques pratiquement abolies, il devient possible sans danger d'arrêter complètement toute circulation sanguine jusqu'à trois-quarts d'heure. La protection du cœur contre l'anoxie et la circulation extracorporelle assurées, on peut donc s'adonner à la chirurgie plus extensive du cœur.

L'opération d'aujourd'hui se pratique dans un véritable laboratoire occupé au centre par une table d'opération surmontée d'une lampe; l'équipe multidisciplinaire inclut des chirurgiens, des anesthésistes, des infirmiers, des perfusionnistes, des résidents et des internes. Chaque membre a son rôle à jouer qui est primordial au bon déroulement de l'opération. Il s'agit d'un travail d'équipe des plus sophistiqués.

Le matériel de la salle d'opération comprend, entre autres:
- une machine à anesthésie
- un cardioscope
- des moniteurs (pour la pression, l'ECG, etc.)
- un appareil de circulation extracorporelle
- une table sur laquelle sont rangés des instruments
- un électrocautère (instrument servant à brûler les tissus)
- un appareil à succion

Sur la table du greffon cardiaque, on trouve:
- les contenants comportant du sérum physiologique et de la glace
- des instruments.

On a aussi besoin de solutions physiologiques pour:
- maintenir les veines ouvertes
- effectuer la cardioplégie
- préserver le cœur.

Une fois l'opération terminée, le patient doit aussi être surveillé de près dans la salle de réveil pendant quelques jours, puis dans sa chambre d'hôpital: contrôle de pression artérielle, de pression veineuse, de rythme et de fonctionnement du cœur, de transfusions sanguines, de vérification des appareils de télésurveillance et une foule d'autres examens.

Mais avant que ne s'effectue la transplantation, une équipe de chirurgiens doit aller prélever le cœur à greffer, car le prélèvement a lieu à l'hôpital référant. Les médecins et le personnel paramédical procédant au prélèvement du greffon doivent se brosser avec soin et s'habiller de façon stérile. Le donneur doit être rasé du menton aux genoux et en latéral jusqu'aux lignes axillaires (aisselles ou dépressions entre le bras et le thorax) postérieures. On le place sur la table d'opération en décubitus dorsal (couché sur le dos), souvent les bras en croix pour faciliter l'accès aux veines. On nettoie le champ opératoire de la région cervicale (du cou) jusqu'au milieu des cuisses avec un antiseptique, puis on laisse le champ à découvert lors du drapage.

Alors, on ouvre la peau, on scie le thorax, puis on coupe le péricarde, cette enveloppe du cœur, on clampe l'aorte et on injecte la solution de cardioplégie qui paralyse et refroidit le cœur. Le cardiectomie, c'est-à-dire l'enlèvement du cœur, se pratique en sectionnant les veines caves, les veines pulmonaires et les gros vaisseaux. On coupe la veine cave supérieure au niveau du péricarde afin de préserver le nœud de Keith et Flack, c'est-à-dire le nœud sinusal qui donne l'impulsion aux battements cardiaques. Puis, on dépose le greffon dans un plat à pièces stérile qui contient un sérum physiologique à 4° C (39° F) et on vérifie son intégrité anatomique, c'est-à-dire son bon état.

Ensuite, on place le cœur à l'intérieur d'un sac de plastique stérile rempli de 500 cc de solution physiologique à 4° C (39° F) exempte de glace. Une fois le sac fermé, on l'insère dans un deuxième sac contenant cette fois du sérum physiologique et de la glace stérile. Le deuxième sac est ensuite mis dans un troisième sac stérile contenant de 300 à 500 cc de solution physiologique à 4° C (39° F) et de la glace stérile. Puis, on le remise dans un récipient isothermique rempli de glace.

À l'Hôpital Royal Victoria, on choisit comme donneurs, de préférence, des jeunes de 10 à 35 ans, morts à la suite d'un accident cérébrovasculaire, d'un traumatisme crânien ou d'une plaie, causée par une balle par exemple. Toutefois, selon

Métro-Transplantation, la liste est plus exhaustive puisqu'elle comprend le traumatisme crânien, l'hémorragie sousarachnoïdienne, l'accident cérébrovasculaire, la tumeur cérébrale primaire, l'intoxication médicamenteuse et le suicide.

Les autres critères de choix sont:
- absence de pathologie cardiaque antérieure
- absence de maladie cardiovasculaire
- absence d'hypertension artérielle ou pulmonaire significative
- absence de traumatisme thoracique important
- absence d'arrêt cardiaque
- absence de médicaments inotropes (diminuant la contractilité de la fibre musculaire) à haute dose ou pour une longue durée
- correspondance anatomique de poids et de taille avec le receveur.

De plus, il faut communiquer les renseignements suivants:
- âge et sexe du donneur
- cause de la mort cérébrale
- date et heure du traumatisme (s'il y a lieu)
- temps écoulé sur ventilateur
- tension artérielle
- rythme cardiaque et soutien requis
- médicaments reçus
- température rectale
- diurèse horaire
- fonction rénale (BUN, créatinine et sédiment urinaire)
- fonction hépatique
- antécédents médicochirurgicaux
- poids et taille
- déclaration de la mort cérébrale
- permission de la famille pour le don du ou des organes
- permission pour l'autopsie
- permission du coroner (s'il y a lieu)
- transfert désiré
- prélèvement sur place
- renseignements relatifs au prélèvement

Disons que les critères changent rapidement au fur et à mesure des meilleurs résultats des transplantations car les chirurgiens maîtrisent de mieux en mieux cette opération.

Dans le cas d'un suicidé, par exemple, si les circonstances du suicide sont bien documentées et que le coroner donne son accord, on l'accepte comme donneur. On agit toutefois avec prudence lorsqu'il s'agit d'intoxications médicamenteuses car elles peuvent changer l'EEG et altérer le cœur.

Avant de prélever le cœur, on s'assure de la mort cérébrale. Ce diagnostic s'effectue en général par deux médecins (un neurologue et un neurochirurgien) ne faisant pas partie de l'équipe de prélèvement ou de transplantation cardiaque. Ils se basent sur des critères cliniques comme:

- absence de mouvement spontané ou provoqué
- absence de réflexe autre que médullaire (ayant rapport à la moelle épinière)
- mydriase (dilatation de la pupille) fixe bilatérale
- absence de respiration spontanée
- maintien de la tension artérielle avec infusion intraveineuse de liquides et/ou d'agents pharmacologiques;

et des critères électriques comme:

- absence d'activité électrique cérébrale à l'électroencéphalogramme enregistré à sensibilité maximale.

On vérifie de plus si le donneur n'a pas d'infection systémique (d'un système) active ou chronique pouvant entraîner une bactériémie ou une virémie (présence de bactéries ou de virus dans le sang); d'antécédents néoplasiques ou de néoplasie (tumeur) maligne active (à l'exception des tumeurs cérébrales qui ne métastasient [migrent] pas à distance); d'antécédents pathologiques pouvant affecter le cœur, de traumatisme thoracique important et d'arrêt cardiaque prolongé. On s'assure de la stabilité hémodynamique (se rapportant à la mécanique circulatoire du sang) en maintenant la tension artérielle et la diurèse (élimination de l'urine). On note aussi la compatibilité immunologique.

L'angiographie (radiographie des vaisseaux) cérébrale, lorsqu'elle démontre l'absence de vascularisation cérébrale, représente aussi un critère de mort cérébrale valable.

La mort cérébrale peut entraîner une perte du tonus vasomoteur (contraction ou dilatation des vaisseaux), que l'on peut constater par une chute de pression artérielle systolique brutale, laquelle peut endommager les greffons.

Chez certains malades, on peut aussi noter une hypovolémie (diminution du volume sanguin total) et une hypothermie (abaissement de la température du corps), un œdème pulmonaire (de l'eau dans les poumons) ou des pneumonies de sorte qu'il est important de prêter une attention particulière à l'équilibre hémodynamique.

Aussi cherche-t-on à maintenir l'oxygénation par intubation endotrachéale (à l'intérieur de la trachée) et ventilation contrôlée par un respirateur; l'équilibre hémodynamique s'obtient en gardant des veines ouvertes (lignes) pour pouvoir transfuser des fluides, en surveillant la tension veineuse centrale, la pression artérielle et l'électrocardiogramme. Un matelas chauffant, une sonde urinaire à demeure, un thermomètre rectal et un tube de Levin (sonde gastroduodénale [se rapportant à l'estomac et à l'intestin]) sont aussi utilisés.

La surveillance clinique doit inclure la tension artérielle (dont le niveau minimal doit être de 95 à 100 mm de Hg [millimètres de mercure] de pression systolique), la tension veineuse centrale (qui doit se trouver entre 12 et 20 cm ou 2 et 5 po d'eau), le rythme cardiaque, les ingestats et les excrétats (ce que mange et élimine le malade), la température rectale (entre 34 et 36° C [93 et 97° F]); on procédera si possible à une pesée métabolique et à une mesure de la taille du donneur, ou on l'évaluera approximativement, et on effectuera la toilette bronchique lorsque nécessaire.

Ensuite, on doit faire des bilans (ensemble d'examens pour vérifier l'état général), de trois ordres: biologique, microbiologique et immunologique.

BILAN BIOLOGIQUE

- formule sanguine complète
- gaz artériels (dosage des gaz dissous dans le sang) répétés aussi souvent que nécessaire
- électrolytes sanguins (substances permettant le passage du courant électrique)
- épreuves de fonction rénale (reins)
- sédiment urinaire et analyse d'urine
- épreuves de fonction hépatique (foie)
- groupe sanguin
- radiographie des poumons
- électrocardiogramme.

BILAN MICROBIOLOGIQUE

- prélèvement et culture des sécrétions bronchiques
- hémoculture (culture du sang)
- culture des urines
- antigène australien et anticorps de l'hépatite A et B
- recherche du cytomégalovirus (agent infectieux)
- recherche des anticorps anti LAV-I/HTLV-III (virus du SIDA).

BILAN IMMUNOLOGIQUE (postopératoire pour la recherche)

On effectue le typage tissulaire HLA (*Human Leukocyte Antigen*) [possible après avoir obtenu la permission de la famille] en prélevant six tubes de 10 ml (0,35 oz) héparinés (bouchon vert) et un tube de 10 ml (0,35 oz) sec (bouchon rouge).

Bien sûr, dans la transplantation cardiaque, le donneur est très important sinon essentiel, mais il faut aussi mentionner l'importance de la famille. Car son rôle comme soutien du patient est primordial. De plus, survenant le décès du donneur, elle devient le porte-parole du décédé. En effet, même si le malade a décidé de faire don d'un ou de plusieurs de ses organes, si la famille s'y oppose, son souhait ne sera pas exaucé.

Aussi, afin d'obtenir la permission de la famille, faut-il communiquer avec la personne la plus proche, par ordre de priorité:

- le conjoint ou la conjointe
- les enfants adultes
- les parents
- les frères et sœurs
- l'exécuteur testamentaire

qui doit signer l'autorisation de prélèvement d'organe.

Un grand tact et de la délicatesse sont à conseiller lors de cette démarche qui s'accomplit dans des circonstances plus que pénibles pour les survivants.

Une fois le cœur prélevé, on doit l'apporter à l'hôpital où se trouve le receveur, pour le greffer. Lors de la transplantation, on ouvre le thorax, on met en place les canules de dérivation en incisant les oreillettes au bas à droite, dans les veines caves supérieure et inférieure, et les canules de retour, dans l'aorte ascendante; on excise les ventricules en laissant en place les oreillettes sans les auricules et on sectionne l'aorte et l'artère pulmonaire tout juste au-dessus des valvules sigmoïdes, c'est-à-dire celles qui obstruent les orifices de l'aorte et de la veine pulmonaire pendant la diastole (dilatation).

Pour greffer le cœur du donneur au receveur, on fait une anastomose, c'est-à-dire un raccord entre deux orifices, soit ceux des oreillettes, de l'artère pulmonaire et de l'aorte du donneur aux cavités et vaisseaux correspondants du receveur.

On n'accepte en général comme receveurs que les candidats porteurs d'une affection cardiaque en phase terminale non améliorable par une autre thérapeutique médicale ou chirurgicale connue, ne démontrant pas d'atteinte grave du foie, des reins ou des poumons. Certains critères très rigides sont respectés en bien des endroits alors qu'ailleurs, on est plus souple et dépendant du patient; même si par exemple, il souffre de diabète, le chirurgien peut accepter de l'opérer, comme cela s'est produit déjà une fois à Montréal (Hôpital Royal Victoria), deux fois à London et à Paris et six fois à Londres.

Mais en plus de vérifier le côté physiologique, il faut voir si, psychologiquement, le malade est prêt. Avant de décider de transplanter un cœur à un receveur, on s'assure en premier lieu de sa stabilité émotionnelle et de son désir de vivre. On vérifie aussi si un membre de sa famille peut l'accompagner et le soutenir pendant cette période de sa vie.

Lorsque c'est possible, on le soumet à une évaluation psychiatrique. Le psychiatre apprécie la symptomatologie psychiatrique, l'effet de la maladie physique sur l'état émotionnel, la conception et le mode de vie du sujet ainsi que ses histoires sociale, familiale, développementale et occupationnelle.

Le médecin vérifie aussi la façon dont le patient a supporté le stress jusqu'alors, sa fidélité à la prise des médicaments requis par sa maladie ainsi que son ouverture d'esprit et son attitude vis-à-vis de la chirurgie. Lorsque pertinent, on examine aussi l'état mental afin de voir si l'on retrouve des changements cognitifs consécutifs à une circulation cérébrale altérée.

La plupart des malades souffrent de troubles d'anxiété et de dépression engendrée par leur maladie.

Une autre étape de l'évaluation est celle faite par la travailleuse sociale qui voit le patient et la famille. Ces entrevues ont pour but d'évaluer la stabilité de la cellule sociale, l'attitude du malade face à l'alcool et à la drogue, son état psychosocial et son engagement face à la transplantation ainsi que sa prise de conscience des implications de la transplantation et de la possibilité de sa mort.

À la suite de ces rencontres, le personnel se trouve plus en mesure de comprendre les besoins du futur greffé et de sa famille. Une fois identifiées les forces et les faiblesses, il devient plus facile de parler de stratégies de soutien. La relation entre le patient, sa famille et le psychiatre ou la travailleuse sociale s'établit alors et s'intensifie au fur et à mesure du déroulement de la transplantation. Ce bon contact permet de sensibiliser le patient aux risques et conséquences de l'opération. Il permet aussi de faciliter la communication avec la famille avant et après la transplantation, car l'attente du donneur et des résultats de la greffe est plutôt anxiogène, et de les orienter par la suite dans leur attitude afin d'éviter la surprotection du transplanté ou les expectatives démesurées trop tôt après l'opération.

Après cette préparation psychologique, on doit s'attarder plus en détail à la préparation médicale. Avant d'accepter un candidat à la greffe, on lui fait subir un bilan cardiaque et général complet afin de détecter l'étiologie précise de la défaillance cardiaque, de vérifier l'impossibilité de tout traitement conventionnel et de s'assurer de l'absence de contre-indications à la transplantation.

Cette évaluation prétransplantation comprend une anamnèse, un examen physique, des épreuves de laboratoire et de radiologie, une échocardiographie, une ventriculographie isotopique, un cathétérisme cardiaque, une biopsie endomyocardique, une détermination des groupes tissulaires et des tests microbiologiques.

Généralement, les contre-indications à la greffe sont l'hypertension artérielle pulmonaire dont la résistance pulmonaire est supérieure à 10 unités Wood, une infection empirée par le traitement immunosuppresseur, un infarctus pulmonaire en évolution, un diabète sévère, une affection du système digestif comme l'ulcère gastroduodénal ou une diverticulose colique (sacs se formant dans le côlon ou gros intestin) qu'aggraverait la prise des corticostéroïdes nécessités par le traitement après la transplantation, un âge supérieur à 55 ans, une maladie associée, des troubles phychiques ou une tare viscérale majeure.

Les critères classiques de sélection des receveurs sont d'abord:

- l'âge: entre 15 et 60 ans
- des compatibilités immunologique et hémodynamique
- une résistance vasculaire pulmonaire inférieure à 10 unités Wood
- aucune évidence d'infection active
- un milieu socioéconomique stable et non conflictuel
- un bon comportement psychosocial.

Les principaux critères d'exclusion sont:

- la présence d'une infection systémique intercurrente
- une insuffisance rénale ou hépatique importante sans rapport avec le trouble cardiaque
- une résistance vasculaire pulmonaire élevée
- une embolie pulmonaire récente vérifiée par une scintigraphie (méthode d'exploration à l'aide d'une substance radioactive) pulmonaire systématique
- un trouble du comportement comme l'alcoolisme, la prise de drogue ou une maladie psychique qui risque d'empêcher le malade de suivre le traitement postopératoire exigeant nécessaire à la survie
- un *cross match* (épreuve croisée ou test de compatibilité directe des tissus entre receveur et donneur) positif.

Une fois le malade greffé, il faut lui apporter un soin particulier dans les premières semaines qui suivent son opération et même dans les premiers mois. Aussi est-il confiné dans une chambre privée, la salle de réveil, où on le surveille nuit et jour jusqu'à ce qu'il puisse être transféré à l'étage de chirurgie cardiaque, dans une autre chambre privée.

Trois phénomènes principaux marquent les suites opératoires: l'instabilité hémodynamique, les rejets et les complications du traitement immunosuppresseur.

L'*instabilité hémodynamique* constante, accompagnée de bradycardie (ralentissement cardiaque) et d'hypotension, se remarque dans les quarante-huit heures suivant l'opération. Puis le cœur assure une fonction circulatoire normale qui se traduit par une amélioration fonctionnelle et générale notoire; le *rejet* quant à lui se manifeste après la première semaine. Mais cependant, depuis l'utilisation de la cyclosporine, si les crises de rejet ont diminué de fréquence, d'intensité et d'acuité, elles sont plus insidieuses. Aussi la biopsie myocardique s'avère-t-elle l'élément de diagnostic le plus fiable; les *complications* habituelles du traitement immunosuppresseur sont beaucoup moins graves depuis que l'on se sert pour contrer le rejet d'un sérum antilymphocytaire ou de la cyclosporine.

Les soins postopératoires sont les mêmes que pour toute chirurgie cardiaque, soit des soins intensifs. Auprès du malade se trouvent une infirmière en permanence pendant son séjour dans la salle de réveil et un médecin disponible en tout temps au moins pendant les quarante-huit premières heures. On effectue une surveillance hémodynamique: une lecture continue de la pression artérielle, de la pression de remplissage du cœur gauche au niveau de l'artère pulmonaire ou de l'oreillette gauche, une surveillance continue de l'ECG, du débit urinaire, des gaz artériels, des électrolytes, des fonctions rénales et hépatiques et des paramètres hématologiques du sang.

On pratique à son endroit un isolement renversé afin de le protéger des infections de l'extérieur. On surveille aussi l'immunosuppression, la cyclosporine (en en mesurant deux fois par jour le niveau sanguin) et les corticostéroïdes (en vérifiant la formule sanguine et la chimie en général).

Il faut que la dose de cyclosporine soit efficace, c'est-à-dire que le malade l'absorbe et qu'elle agisse contre les lymphocytes T, qu'elle les neutralise pour qu'ils ne reconnaissent pas le nouvel organe comme organe étranger.

De plus, on surveille le rejet de la greffe pour essayer de le diagnostiquer et de le prévenir, en effectuant des biopsies endomyocardiques (à l'intérieur du muscle cardiaque) une fois par semaine pendant les trois premiers mois. Lorsque le risque de rejet s'estompe, on diminue les biopsies.

Dès le lendemain de l'opération d'ailleurs commencent les exercices respiratoires du patient et de légers exercices physiques comme bouger les bras et les jambes et, une semaine plus tard, il suit un programme de physiothérapie.

La survie actuarielle est encourageante puisqu'on la chiffre à:

80% pour les greffés depuis 1 an
75% pour les greffés depuis 2 ans
70% pour les greffés depuis 3 ans
et entre 50 et 65% pour les greffés depuis 5 ans.

Ces récents résultats découlent du choix rigoureux des donneurs, de l'affinement des techniques opératoires, du développement des méthodes de diagnostic, du traitement à la suite de l'opération et de la survenue de la cyclosporine.

Ce nouveau médicament est en effet en train de devenir le médicament miracle des années 80. C'est la compagnie Sandoz qui l'a découvert. Tout à fait par hasard d'ailleurs. Ce qu'on cherchait en fait, c'était un antibiotique. Dans ce but, les chercheurs de Sandoz avaient rapporté dans leurs laboratoires, en 1970, des échantillons de terre prélevés d'un plateau norvégien, le *Hardanger Vidda*. Dans cette terre, on trouva un champignon du sol qui produisait des substances faiblement solubles dans l'eau.

Pendant dix ans, on poursuivit les recherches, et c'est Jean-François Borel qui parvint à isoler, en 1972, à partir de ce fameux champignon nommé *Tolypocladium inflatum* Gams, un métabolite qui avait des propriétés immunosuppressives. La synthèse totale de la cyclosporine A fut achevée en 1980, grâce à la collaboration de plusieurs autres chercheurs. Le nouveau médicament pouvait paralyser les cellules qui rejettent les organes greffés tout en conservant les cellules qui combattent l'infection. À ce précieux médicament, on donna le nom de cyclosporine A ou tout simplement cyclosporine, ou encore, quand on l'achète en pharmacie *Sandimmune.*

Cette découverte allait permettre à l'homme de changer de cœur, de foie, de poumons, de reins, de moelle sans avoir le problème de rejet aigu qui avait marqué la greffe jusqu'alors.

Nombre de compagnies pharmaceutiques essayaient de trouver un agent anti-rejet sans succès. Aussi la cyclosporine fut-elle accueillie avec soulagement. Ce médicament, qu'une importante équipe de recherche avait contribué à faire naître, fut distribué gratuitement au début à ceux qui faisaient de la recherche sérieuse sur la transplantation. Les études cliniques s'avéraient nécessaires pour prouver aux autorités les bienfaits du médicament et pour en établir les effets secondaires. Puis, lors de son acceptation par la Direction générale de la protection de la Santé, il devint disponible sur le marché à un plus grand nombre de candidats désireux d'obtenir des greffes. C'est un traitement dispendieux que celui qui fait appel à la cyclosporine mais c'est une nette amélioration sur les stéroïdes que devaient prendre les premiers greffés au prix de souffrances musculaires qui leur faisaient payer chèrement la transplantation.

Malgré le plagiat pharmaceutique auquel doivent faire face les compagnies innovatrices en matière de médicaments, elles continuent à améliorer leurs produits. On en est en effet rendu à la deuxième génération de cyclosporine. Ceux qui peuvent revivre grâce aux médicaments qui combattent le rejet sont prêts à comprendre le problème, les autres refusent de s'y attarder et les compagnies génériques, elles, continuent à s'enrichir sur le dos des concepteurs de nouveaux médicaments.

Et la cyclosporine est une cible de choix parce que ce médicament semble pouvoir traiter d'autres maladies du système immunitaire comme le diabète, la polyarthrite rhumatoïde, le psoriasis, la maladie de Crohn et le syndrome néphrotique chez l'enfant, pour n'en nommer que quelques-unes, telles qu'en fait foi l'expérimentation clinique en cours.

Mais comme tout médicament, la *cyclosporine* a des effets secondaires. Ce liquide huileux doit se prendre aux douze heures, mélangé avec du lait, du lait au chocolat ou du jus d'orange en portion de un sur dix. Il peut entraîner malheureusement chez certains malades, des dysfonctions des reins, de l'hypertension artérielle, des troubles du foie, une profusion de poils ou de cheveux, des tremblements des mains, des maux de tête, des crampes dans les jambes, une enflure des gencives, de la nausée ou des vomissements. Mais, advenant un changement de médication, ces effets disparaissent.

L'autre médicament qui accompagne généralement la cyclosporine, la *prednisone* (deltasone), fait partie de la famille des corticostéroïdes et se présente sous forme de cachets. Tout comme la cyclosporine, il faut la prendre aux douze heures. Elle a aussi ses inconvénients dont le plus grave est l'ostéoporose, c'est-à-dire un ramollissement des vertèbres, des os et des articulations qui portent le poids du corps, une faiblesse des muscles, une accumulation d'eau dans les tissus (œdème), une tendance à avoir la figure en forme de pleine lune, un appétit accru, des malaises à l'estomac, des troubles de l'humeur et de la concentration, une apparition de cataractes, la poussée des poils et cheveux, une sensibilité de la peau au soleil et aux coups, une peau plus huileuse, une tendance aux saignements du système gastrointestinal, une augmentation de la soif et des mictions (élimination de l'urine).

Le malade doit aussi prendre du furosemide ou *lasix*, un diurétique, c'est-à-dire un médicament qui permet d'éliminer l'eau qui s'accumule dans les tissus, en augmentant le débit urinaire. Les diurétiques peuvent présenter comme effets secondaires des crampes musculaires, de la faiblesse et un pouls irrégulier, à cause d'une diminution du potassium. Une trop forte dose peut entraîner la déshydratation et une hypotension se manifestant par des étourdissements, des évanouissements et un assèchement de la bouche. Les doses très fortes déclenchent à l'occasion des tintements dans les oreilles ou de la surdité.

Il arrive aussi que le patient doivent prendre du *mycostatin* (nystatine), un antibiotique antifongique, c'est-à-dire un médicament qui prévient les infections causées par des champignons dans la bouche. Il se présente sous forme de pastilles. On lui attribue comme effets secondaires une possibilité de nausée, de vomissements et de la diarrhée.

Mais malgré tous ces inconvénients, le cardiaque qui a la chance de pouvoir se faire greffer un cœur n'a aucune seconde d'hésitation une fois qu'il a compris que c'est le seul traitement possible et qu'il a rencontré un ou d'autres greffés.

III
La greffe cardiaque

Et c'est le 10 avril 1986 que Gilles Thibault est transféré de l'Hôpital Pierre-Boucher. À son arrivée à l'Hôpital Royal Victoria, le «Vic» comme on dit familièrement, Gilles doit rencontrer le Dr Albert Guerraty.

La première fois que le chirurgien entra dans sa chambre, Gilles «tomba en confiance» avec lui. Il pensa immédiatement: «C'est lui qui va me soigner et je vais retourner chez nous et je serai 'correct'. Ce médecin a l'air efficace, humble, sympathique, il a toutes les qualités d'un vrai médecin».

Le docteur savait que Gilles était un peu contre la greffe. Aussi voulait-il voir, avant d'entamer le lourd processus de l'évaluation, si ce malade pouvait être considéré comme un candidat à la transplantation cardiaque:

— Monsieur Thibault, je sais que vous n'avez pas confiance en la greffe, mais avez-vous confiance en quelque chose? Pouvez-vous vous accrocher?

— Oui docteur, j'ai confiance. Premièrement, je veux vivre. Deuxièmement, une transplantation, c'est toujours pour les autres et jamais pour soi. Mais si je suis pris dans le bateau, je suis pris dans le bateau.

Gilles pensait avoir autant de chances que celui qui n'en avait pas: 50/50, ça vaut pour tout. On ne sait pas. C'est pas nous qui dirigeons. Pour lui, cinquante/cinquante, c'était la même chose que de ne pas en avoir du tout de la chance, ou d'en avoir beaucoup. Alors... Même s'il n'avait qu'une chance sur un million, il en avait une, et s'il ne l'essayait pas, il ne le saurait jamais. Il avait un optimisme à toute épreuve. Une greffe, ce n'était pas pour lui, c'était pour les autres, avait-il pensé au début. Mais quand tu es rendu au bout, que tu es fatigué, que tu as hâte de guérir et que tu veux t'en sortir, tu as deux chemins. Si tu vires à droite, tu plonges en bas, si tu vires à gauche, tu as une chance, se disait-il. Et il vira à gauche, du côté du cœur.

Et le Dr Guerraty lui a alors expliqué un peu les étapes qu'il aurait à franchir. Tout d'abord ne pas se laisser aller, ensuite manger et se reposer. Mais Gilles n'avait pas faim, ne pouvait presque pas manger car il perdait le souffle. Malgré ses efforts, il n'arrivait pas à avaler quoi que ce soit, ou si peu qu'il se retrouvait dans un état de faiblesse extrême.

Pourtant, il voulait de plus en plus faire tout ce qu'on lui disait pour pouvoir être accepté par l'équipe de transplantation. Déjà, un greffé, Richard Leduc, était venu le voir et, devant sa forme resplendissante, Gilles s'était dit: «Pourquoi pas moi? Je pourrais être mieux, comme lui.» Et l'espoir s'était renforcé dans son cœur. Dans les journaux, on avait beaucoup parlé de la greffe de Jacques Couture, et il avait l'air si bien.

Le chirurgien avait donné rendez-vous à Huguette. Il voulait discuter de certains détails. Elle arriva à son bureau le 15 avril 1986:

— Bonjour docteur.

— Bonjour Madame Thibault, répondit-il en lui tendant la main. Asseyez-vous. On s'est réunis, les cardiologues et moi pour parler de votre mari. Sa maladie est beaucoup plus avancée que l'on pensait. Son cœur gauche est en défaillance de même que son cœur droit. Il a un foie énorme. Il a de l'enflure, de l'œdème dans les jambes. Il est rendu au bout de sa corde. J'attendais de voir le résultat du cathétérisme droit pour prendre une décision. Je vais l'avoir aujourd'hui, mais moi, je pense qu'il va falloir le mettre sur une liste d'attente pour une greffe cardiaque tout de suite aujourd'hui parce qu'on peut avoir un donneur dans une semaine comme dans trois mois. Et, pour améliorer ses chances, il faut le chercher tout de suite, même si l'investigation n'est pas complétée, même si on n'a pas l'accord de tout le groupe de transplantation, on l'aura plus tard; mais en attendant, on va chercher un donneur.

«Après l'examen de cet après-midi, on va savoir si on peut le greffer ou non. On va mesurer la pression de l'artère pulmonaire. Je pense que sa seule chance de passer à travers ça, c'est une greffe. Je ne suis pas sûr qu'on puisse faire une greffe encore. Ça va dépendre de l'examen d'aujourd'hui et des pressions du cœur droit. Si l'examen est bon, si la pression dans l'artère pulmonaire n'est pas trop élevée, on va le mettre sur la liste d'attente aujourd'hui. Une chose dont je voulais vous parler, c'est l'obtention d'organe. Quand on a un malade qui a besoin d'un cœur en urgence, on met son nom sur ordinateur, ici à Montréal, à Toronto et, à Pittsburgh pour la partie Nord-Est des États-Unis et du Canada, et on augmente de cette façon notre chance d'avoir un donneur, parce qu'au lieu de chercher dans une ville de trois millions d'habitants, on cherche dans un bassin de soixante à quatre-vingt millions de personnes. Le seul problème, c'est que les coûts de l'obtention d'un organe aux États-Unis ne sont pas payés par l'assurance-maladie. Ça, ça veut dire que l'avion qui va aux États-Unis avec l'équipe de chirurgiens et la salle d'opération là-bas doivent être payés. Pour vous donner une idée, une greffe cardiaque coûte aux États-Unis entre soixante-quinze et cent-vingt mille dollars US, la première année; ça, c'est le coût réel. Ici, premièrement, les coûts sont moins élevés et, deuxièmement, l'assurance-maladie couvre encore pour ça; et vous n'avez aucune dépense si le donneur est à Montréal.

«Si le donneur est à Boston, par exemple, il y a des coûts d'avion et des coûts de salle d'opération. L'Association des greffés et certains greffés ont fait des démarches pour avoir des avions gratuitement. Et la plupart du temps, on peut avoir un avion prêté par quelqu'un, alors on sauve entre cinq et huit mille dollars. Mais la salle d'opération là-bas, jusqu'ici, il faut trouver les fonds pour la payer. Nous avons un fonds pour ça, mais il est «dans le rouge» de beaucoup, parce qu'on n'a jamais refusé d'opérer un malade qui n'avait pas les moyens. C'est pourquoi notre fonds est déficitaire.

»La salle d'opération là-bas peut coûter entre mille cinq cents et deux mille cinq cents dollars. Ça dépend si c'est un hôpital privé ou universitaire, ou un petit hôpital public. Et l'avion ou l'essence, on peut l'avoir la plupart du temps d'une compagnie qui peut être, entre autres, Innotech, Bombardier, Hélicoptères Viking, Alcan, Canadair, Power Corporation, Texaco, ou un des deux gouvernements. Il y en a d'autres qui collaborent aussi.

»Je voudrais savoir d'abord, avant de parler à votre mari si vous, vous êtes d'accord avec la transplantation? Puis, si on met son nom sur une liste d'urgence, si la famille peut réussir à réunir cet argent au moins pour la salle d'opération.

— Vous prévoyez à peu près deux mille dollars?
— Ce serait en argent américain.
— C'est-à-dire trois mille dollars canadiens?
— Oui. Maintenant, il y a des façon de procéder. On ne vous demande pas de payer tout de suite. On reçoit d'abord un compte, et après, il faut payer. Je n'ai pas voulu parler de ça directement à votre époux parce que je trouve qu'il est trop malade et que j'ajouterais une autre inquiétude, une autre préoccupation. Je ne connais pas l'état de ses finances ou ses problèmes maintenant. Je sais qu'il n'a pas travaillé dernièrement. Je n'ai pas eu les rapports du psychiatre et de la travailleuse sociale. Mais je crois que vous, vous êtes plus en mesure de prendre ça et me donner une réponse.
— Je ne crois pas que nous soyons à un point où l'on va parler de trois mille dollars et hésiter pour savoir si on fait faire la greffe ou non...
— On va la faire quand même, mais moi, je ne peux pas m'engager personnellement car mes fonds sont tout à fait «dans le rouge». Et je ne veux pas demander au Gouvernement plus d'argent car il collabore déjà beaucoup aux programmes de

transplantation. Il y a nombre de coûts et de dépenses qui sont défrayés par l'hôpital, par des fondations privées, par les compagnies de transport de sorte que je veux pas aller chercher plus.

— Je comprends. Alors disons qu'on n'a pas le choix.» Et Huguette pensa aux offres d'aide financière de son frère Claude et de Joan Charron, avec qui elle travaillait, et se sentit rassurée.

— Je vais attendre l'examen d'aujourd'hui. S'il montre qu'il n'y a pas de contre-indications à l'opération, je vais le mettre sur la liste d'urgence aujourd'hui et on va compléter son investigation.

— Ça veut dire, à ce moment-là, qu'il resterait à l'hôpital jusqu'à la greffe?

— De toute manière, je ne le pense pas capable de retourner à la maison.

— Moi non plus.

— Il est à la veille d'être intubé. La prochaine étape, c'est de mettre un tube dans sa trachée et de le brancher à une machine si ça ne va pas mieux. Alors, d'accord?

— Oui. Je suis bien contente de vous avoir parlé. Je vous remercie infiniment.

— Je vous tiendrai au courant. Bonjour Madame Thibault.

— Bonjour Docteur Guerraty.

Huguette retourna auprès de son mari qui se demandait pourquoi le médecin voulait lui parler.

— Qu'est-ce qu'il t'a dit?

— Il m'a parlé de ta santé et de l'examen qu'il devrait faire.

Sur les entrefaites, un préposé se présenta à la chambre de Gilles pour lui annoncer qu'il viendrait le chercher plus tard pour un *rayon X* des poumons.

— Un autre petit portrait des poumons, bonhomme, lui fait sa femme.

— J'en ai déjà eu un examen pulmonaire et c'est celui qui a été le pire. Ils n'avaient pas enlevé toutes les sécrétions et ça m'a...

— Tu as eu mal au cœur?
— Tlès, tlès, beaucoup! dit Gilles en riant.

D'ailleurs, ce mal de cœur, il l'avait aussi, de façon répétée mais sous une autre forme, chaque fois que son fils venait le voir. Pourtant, il était si heureux de ces visites. Mais Madame Thibault avait remarqué qu'il en ressentait tellement d'émotion que la nuit suivante, on devait le transférer aux soins intensifs.

Aussi, sans vouloir blesser Martin, sa mère essayait-elle de le dissuader gentiment de venir à l'hôpital voir son père car elle savait qu'à chaque fois, il aurait une rechute. Elle trouvait ça très difficile à négocier. S'il manifestait le désir de venir à l'hôpital, elle lui disait: «Ton père est bien, repose-toi, va à ton hockey.» Pourtant, son père était si content de le voir quand il le visitait. Huguette dut donc déployer des trésors d'ingéniosité pour que Gilles et Martin ne soient pas froissés et restent inconscients de la situation.

Le problème se posait aussi avec Lyne, sa fille, qui cependant se manifestait moins souvent car comme elle habitait Vancouver, elle ne pouvait appeler aussi fréquemment qu'elle l'aurait voulu. Très émotive elle aussi, un coup de téléphone à son père déclenchait un torrent de larmes de part et d'autre. Comme tous les cardiaques au stade où il était, Gilles avait la larme encore plus facile. Mais contrairement à d'autres personnes dans sa situation, c'était un homme assez près de ses sentiments. Donc, au lieu d'être renversé par le phénomène, il le prenait en riant et avertissait Lyne: «Je t'appelle là, mais il ne faut pas pleurer, c'est promis?» Et ils partaient à rire tous les deux, comme d'une bonne blague.

D'ailleurs, les bonnes blagues émaillaient leur conversation car Gilles avait toujours été un fin conteur. Tout pour lui était prétexte à en raconter «une bonne». Il avait la mémoire de tout ce qui portait à rire et démontrait une tournure d'esprit amusante qui se manifestait par la façon imagée dont il présentait tout événement qu'il avait vécu, dont il avait été témoin ou qu'on lui avait rapporté.

Cette qualité l'inclinait à être positif. Ce sens de l'humour venait à sa rescousse dans les pires moments. Même au bord de la greffe, alors que ses forces étaient terriblement diminuées, un éclair de malice traversait son regard et il sortait une cocasserie qui faisait rigoler l'entourage.

C'était un curieux mélange que ce Gilles. La maladie l'avait rendu encore moins loquace, donc un peu rébarbatif pour ceux qui ne connaissent pas ses effets, mais n'avait pas réussi à annihiler sa faculté de rire de lui-même et de la vie. C'était un atout précieux.

Lyne, pour sa part, semblait trouver plus dure que les autres membres de sa famille, l'hospitalisation de son père car elle ne savait pas ce qui se passait au jour le jour et s'inquiétait. Son père l'avait appelée de l'hôpital après une partie de hockey à 7 heures du matin; il était 4 heures du matin à Vancouver. Les préposés lui avaient apporté un téléphone portatif et il s'était dépêché d'appeler avant qu'ils ne reviennent le chercher. Lyne était si contente d'avoir de ses nouvelles qu'elle ne s'était pas rendue compte qu'il n'était que 4 heures. Ils se sont parlé quarante-cinq minutes. Lyne s'était sentie un peu rassurée. Au début du téléphone, Gilles l'avait cependant avertie: «Tu es mieux de ne pas pleurer car moi je suis en forme!» Et ils ne pleurèrent ni l'un ni l'autre.

Il fallait donc à Gilles un effort de volonté planifié pour lutter contre son hypersensibilité. Et la maladie rendait la chose encore plus difficile. Aussi Huguette essayait-elle d'arriver à l'hôpital toujours enjouée et portait-elle un soin particulier à ses vêtements. Elle était toujours très bien mise d'ailleurs mais, pour le moral de son époux, elle ne choisissait que des couleurs vives pour ses vêtements, voulant qu'il ait l'impression de voir arriver la vie à l'hôpital. Malgré les petits soucis quotidiens, elle se présentait à son chevet en forme, un grand sourire aux lèvres.

De nature, elle était portée à la gaieté et pleine d'enthousiasme et elle s'efforçait, même les jours où elle était moins en train, de donner cette image à Gilles. Il avait assez de problèmes sans commencer à s'en faire pour les autres. De toutes façons, c'était une règle de vie chez elle. Se coiffer, se maquiller, s'habiller joliment chassait les plus rebelles pensées moroses et permettait de se remettre en forme à peu de frais. Et cette forme, elle en avait besoin pour Gilles, car il souhaitait sa présence le plus souvent possible. Parce qu'il s'ennuyait, mais aussi parce qu'il comprenait difficilement l'anglais à cause des divers accents ou de la vitesse avec laquelle on lui parlait. Et comme le jargon médical n'était pas un langage familier pour lui, il avait peur de ne pas comprendre ce qu'on lui demandait. Et même, il lui arrivait de répondre n'importe quoi parce qu'il ne saisissait pas ce qu'on voulait savoir; la barrière linguistique compliquait sa vie déjà assez complexe. Il lui semblait que ç'aurait été plus facile de s'expliquer ou d'être malade dans sa langue maternelle.

Une chance aussi que Huguette venait tous les jours car personne ne lavait la tête de Gilles. Alors elle prenait le bol à main, le remplissait d'eau chaude et, avec un verre, lui mouillait les cheveux, les savonnait, puis les rinçait avec de l'eau tiède qu'elle avait mise dans le pot à eau de Gilles. Comme quoi le système D sert partout. C'était curieux quand même de devoir accomplir ce rituel parce qu'à l'Hôpital Pierre-Boucher, ce service faisait partie de la toilette et même que deux infirmières s'y mettaient et la tête était lavée en un tournemain. Et sans que le patient le demande...

Huguette veillait à tout. Au début, elle était plus tolérante, mais quand les oublis commencèrent à s'additionner, elle ne put s'empêcher d'intervenir. Ainsi, un bon jour, elle arriva au chevet de Gilles à 18 h 30; tout le monde était en train de manger sauf lui. Il n'avait pas reçu de souper. Huguette sortit de la chambre et alla directement au poste:

— Monsieur Thibault ne mange pas ce soir?
— Mais oui.
— Il n'a pas encore de repas.
— Qui avait la responsabilité d'apporter le repas à Monsieur Thibault? demande l'infirmière à la ronde.

Aucune réponse.

— Bon bien franchement, si je ne parle pas, vous ne lui apportez pas de repas, fit remarquer Huguette.

— Bien...

— Réveillez-vous! Vous ne vous rendez pas compte à un moment donné que vous avez un patient qui n'a pas de repas? Vous n'avez jamais remarqué qu'il y avait un malade qui n'avait pas de repas ici ce soir?

— Bien, c'est parce qu'il devait être transféré. Et comme il n'a pas été transféré, son repas devrait être au 5e chirurgie.

— Je vais être franche avec vous, je trouve que quelqu'un est «sans dessin» là-dedans.

Chaque fois qu'on le déménageait de chambre, Gilles se préparait psychologiquement à sauter un repas. S'il était un peu moins fatigué, il demandait à manger. Quand il était trop fatigué, il laissait tomber. Aux soins intensifs, ils étaient en général plus présents. Heureusement que le Dr Guerraty avait demandé qu'il ait toujours une boîte d'Ensure, pour que s'il n'arrivait pas à manger son repas il ait au moins ses vitamines. L'Ensure est un liquide de la consistance d'un *milk shake* (lait battu) se composant, entre autres, de protéines, de lipides, d'acide linoléique, de glucides, de choline; chaque quantité de 100 mL fournit 106 kcal. On y retrouve des vitamines et des minéraux. L'Ensure est préparé à saveurs de vanille, de chocolat et de lait de poule. Cet aliment peut remplacer un repas ou y apporter un supplément nutritif.

Pour une bonne fourchette comme Gilles, voir les autres manger et être privé de repas était drôlement pénible. De se sentir laissé pour compte le mettait en rogne et le peu d'appétit qu'il avait disparaissait complètement devant un repas froid ou servi avec deux heures de retard. Huguette trouvait cela déplorable. Ce jour-là, Gilles avait vu les autres manger et surtout le monsieur d'en face qui était encourageant car il mangeait des pommes et toutes sortes de chose et ça avait l'air bon pour mourir. Gilles avait senti monter son appétit. Mais devant une table qui demeurait vide, il avait néanmoins décru rapidement.

Dans ces moments, Gilles se plaisait à se rappeler l'organisation sans faille de l'Hôpital Pierre-Boucher où les repas semblaient avoir plus d'importance. Toujours à l'heure, dix fois meilleurs, servis par du personnel de bonne humeur et communicatif. Et chauds. Peut-être était-ce l'avantage de n'être pas un hôpital de première ligne où il y a trop à faire... spéculait Gilles. Mais il n'en restait pas moins vrai que pour un gourmet comme lui à qui la maladie coupait l'appétit de beaucoup, c'était un supplice encore plus grand lorsqu'il lui arrivait d'avoir faim, de ne pas pouvoir s'alimenter ou de recevoir des repas glacés.

Pour «aider» les choses, une personne venait toujours voir, quand on lui offrait à manger, ce qui restait dans l'assiette. Gilles avait l'impression qu'elle venait «sentir» dans son assiette. Ça le tannait. Un jour où on l'avait transféré à un autre étage, il la vit entrer dans sa chambre et, excédé, dit à Huguette: «Elle me couraille; va-t-elle me suivre partout dans l'hôpital?» Il se rendait bien compte que c'était une toquade de sa part. Mais quand elle sortait son: «Vous avez pas tout mangé» interrogatif, il se disait: «Maudite senteuse va.» Quand il lui voyait le bout du nez, il soupirait: «V'là la senteuse.» Cela le défoulait. Et le grand nez revenait régulièrement. Une fois même, elle vint dans la chambre dès le départ du préposé qui avait apporté le repas, se précipita sur le plateau, souleva le couvercle et dit d'un ton réprobateur:

— Ah ah, vous n'avez pas mangé!
— Crime, laissez-moi le temps, ça ne fait pas une minute que c'est ici.

Ce jour-là, il était tellement ennuyé de son manège qu'il ne toucha pas à ses plats. À son retour, elle souleva le couvercle, le referma et sortit de la chambre le bec pincé.

Gilles pensait: «Ce n'est probablement pas une diététiste, mais une surveillante, une «scèneuse» de plat...» Et il essayait de faire de l'humour avec ces petits désagréments de la vie à l'hôpital, mais dès qu'il la voyait poindre, la mauvaise humeur le prenait.

Ce n'est pas tant qu'il détestait qu'on s'occupe de lui. Mais il aimait les gens aimables. Comme cette diététiste venue le conseiller sur les aliments à manger, qui lui avait expliqué la teneur en minéraux des différents légumes et fruits; non, c'était l'attitude de cette personne qui le hérissait; et, quand on est malade, on est tellement moins patient...

Un autre problème qui le confinait à la solitude quand Huguette n'était pas là, c'était la peur des infirmières de le trouver «les yeux fermés». Gilles ne comprenait pas leur comportement. Il en avait parlé à Simone Sirois, la coordonnatrice de la transplantation mais ce n'est qu'après l'opération qu'elle lui avait expliqué ce qui en était. C'était une peur assez répandue. Il y avait aussi, bien sûr, le refus d'autres infirmières de se faire filmer. Celles-là appelaient Gilles «la vedette» et lui faisaient sentir qu'il dérangeait l'ordre établi. Pourtant, s'il avait accepté que Radio-Canada tourne un film sur la greffe cardiaque, c'était pour que les gens soient informés de ce traitement. C'était loin d'être pour sa gloriole personnelle car il n'était pas sous son meilleur jour pendant ce tournage. Mais chacun réagissait à sa façon. Lui, le faisait pour la science et s'efforçait d'en voir les bons côtés dont, entre autres, la présence et l'animation que l'équipe de tournage pouvait apporter. Il s'efforçait de plus de voir que cette intrusion pouvait susciter aussi la phobie. Si c'est dur pour un patient l'hôpital, c'est aussi dur pour le personnel de travailler toujours avec des malades, philosophait-il.

Puis, surgirent à son esprit les visages espiègles de deux infirmières qui venaient toujours le voir, bien mises, propres, sentant bon. Quelques-unes aimaient travailler avec le public et se forçaient. D'autres membres du personnel hospitalier arrivaient avec de grosses bottines, l'air débraillé, des jeans et un couvre-tout sale. Ceux-là n'inspiraient pas confiance. Ç'avait bien changé la notion d'asepsie dans les hôpitaux. L'uniforme propre, bien repassé, les cheveux coiffés, les souliers propres, c'était bien agréable autrefois. Le laisser-aller actuel se reflétait dans la qualité des soins et des contacts. L'haleine de cheval du technicien qui arrivait à son chevet pour le piquer le matin n'en était qu'une des répercussions.

Côté délicatesse et empressement, les Orientaux étaient en tête de ligne. Tout comme le personnel avait ses patients préférés, Gilles avait une faiblesse pour certains intervenants. Deux médecins orientaux, entre autres, réussissaient l'exploit d'entrer trocart, porte-aiguille, aiguille dans sa peau sans même qu'il s'en rende compte. Leur doigté émerveillait Gilles qui les voyait arriver avec plaisir. Leur politesse et leur affabilité bien orientales n'étaient pas non plus sans lui plaire. Gilles se disait: «Eux, ils connaissent l'intérieur d'un homme 'en torrieu'.» Simone Sirois avait d'ailleurs le même talent.

La plupart des médecins de 30 ans et plus étaient toujours impeccables: bien vêtus, fleurant bon la propreté et la santé. Somme toute, dans l'ensemble, il avait été très bien traité au Vic s'il faisait abstraction de la fois qu'on l'avait mis dans la même chambre que deux fumeurs. Cet incident, il avait du mal à le comprendre. Pourtant, on était supposé ne pas fumer dans un hôpital et surtout en cardiologie. Il avait pensé mourir étouffé tellement la fumée l'avait empêché de respirer. Cette agression dans un milieu soi-disant protégé l'avait profondément secoué et renversé. Évidemment, l'incident a l'air ridicule quand on est en bonne santé, mais pour un cardiaque sur le point d'être greffé, ça prenait une toute autre dimension. Mais, toutes les épreuves traversées, Gilles était prêt à recevoir son cœur.

Dans l'après-midi du 15 avril donc, deux examens s'annonçaient. Une radiographie des poumons d'abord et ensuite un cathétérisme cardiaque. Gilles était énervé. L'œil hagard, les traits tirés, il était appuyé au garde-corps du côté de la fenêtre, de son bras gauche. Son bras droit était percé de canules reliées à des machines et à des solutés. Son masque à oxygène était à portée de sa main. Il avait de la difficulté à respirer et s'essuyait le front. Il souffrait visiblement. De son cœur, de sa fatigue, du froid qu'entraînait la mauvaise circulation du sang, mais aussi du manque d'eau. Lui qui buvait habituellement deux à trois pintes d'eau par jour. Huguette lui tapotait affectueusement la joue.

Soudain, deux aides-infirmiers se présentèrent pour l'amener à la salle d'opération pour une biopsie et un cathétérisme cardiaque. Il avait une jaquette d'hôpital bleue et n'en menait pas large. L'un de ses sujets favoris, la pêche, le poussa à blaguer avec ceux qui attendaient l'ascenseur et ceux qui l'accompagnaient. L'ascenseur finit par arriver, descendre et arrêter au cinquième. *CAUTION — RADIATION AREA*. On y est. Deux infirmières vinrent lui installer une ceinture noire à laquelle était fixée une pochette dont sortaient des fils noirs. En plaisantant, Gilles demanda si c'était une bombe. Et le personnel sérieux sourit de sa boutade. Deux aides-infirmiers vinrent monter son lit au niveau d'une civière et l'y transférèrent. On lui ôta sa chemise, on sangla ses bras et ses jambes avec des courroies et on lui appliqua des électrodes sur la peau sous les courroies. Puis on étendit un champ stérile à fenêtre du côté droit. C'est là qu'on devait entrer la pince à biopsie, au niveau de l'artère jugulaire.

C'est le Dr David Fitchett, un cardiologue, dont on ne voyait que les yeux ronds aux pupilles dilatées, entre son masque et son chapeau, qui fit la biopsie et préleva trois morceaux du muscle cardiaque. Ensuite, il effectua un cathétérisme. Le Dr Guerraty avait expliqué qu'il s'agissait d'un examen où on entre deux cathéters, deux tubes, un dans la veine pour mesurer les pressions du cœur droit, c'est-à-dire de l'oreillette droite, du ventricule droit et de l'artère pulmonaire; l'autre dans l'aorte et le cœur gauche, et on injecte un colorant dans le ventricule gauche pour voir la capacité de contraction du cœur, puis dans les artères coronaires pour voir le genre de maladie coronarienne qu'a le malade.

Ensuite le Dr Fitchett entra un cathéter muni d'un micromanomètre pour mesurer la résistance de l'artère pulmonaire, et expliqua à Gilles:

— Si le patient a une greffe et que la résistance est très haute, le nouveau cœur ne peut pas assez pomper. On va donc vous donner un médicament qui baissera la résistance de l'artère pulmonaire. Si cette résistance peut baisser un peu, elle sera assez bonne pour un nouveau cœur. C'est un des tests les plus importants pour le traitement des patients avant la transplantation. Pendant l'administration de ce médicament, il est nécessaire d'observer la pression dans une artère. La plus facile à observer est l'artère fémorale dans la cuisse. Je vais mettre une petite aiguille et non un cathéter pour y mesurer la tension.

On donna de l'oxygène à Gilles et on lui leva la tête. Puis, il lui expliqua ce qui se passait:

— Je vais vous donner un peu d'oxygène car celui-ci peut diminuer la résistance des artères.
— D'accord!
— Monsieur, je vais geler la peau ici et vous sentirez un peu la piqûre.
— O.K.

Tout se fit rapidement. Le médecin dit alors à Gilles:

— Monsieur, il ne faudra pas bouger votre jambe droite pendant six heures et ne pas lever la tête sauf supportée par des oreillers. Ce soir, vous pourrez manger normalement. Voulez-vous boire en ce moment? Du jus d'orange?
— De l'eau s'il vous plaît.
— O.K. Monsieur, merci, à demain.
— Bonjour et merci docteur.

On lui enleva ensuite les courroies et tubes. On lui remit sa jaquette bleue. On le transféra dans son lit après lui avoir demandé de croiser les bras sur sa poitrine.

Le lendemain matin, soit le 16 avril 1986, Gilles alla faire sa toilette. Il partit avec son soluté accroché sur un support mobile qu'il devait pousser devant lui. Et il revint à sa chambre vêtu d'un pyjama à pantalon marine et à haut rayé marine et blanc. L'infirmière l'aida à s'installer sur le bord de son lit et lui apporta la table de lit pivotante qu'il ajusta et ouvrit pour en installer le miroir. Il le pencha, brancha son rasoir et se fit la barbe avec précautions. À cause de la maladie, sa peau était flasque et le rasage s'avéra plus long qu'il l'avait déjà été. Il se mit de la lotion. Puis se peigna et finalement rangea le tout. Il s'étendit ensuite dans son lit. Et il se mit à penser.

Il se remémora la visite de Richard Leduc, ce petit gars nouvellement greffé qui était venu le voir la semaine dernière. En forme, plein de «pep»; il sautait sur une jambe et sur l'autre. Il n'arrêtait pas. Bavard, l'air euphorique, il racontait avoir fait 450 km (280 mi) sur sa bicyclette ergométrique. Il s'était rendu à Rivière-du-Loup! Chanceux, va. Gilles se dit qu'il aimerait bien retrouver ses deux pattes à lui... Il espérait se voir un jour arriver en «joker» et repartir en «joker» comme Richard. Un gars positif ce Richard. Comme Gilles d'ailleurs. Alors peut-être qu'un jour... Il s'essuya furtivement les yeux et déplaça les objets sur la table de lit. Pour se changer les idées... Puis il cogna doucement sur la table avec le poing. Il ferma ensuite les yeux pour se reposer.

Mais il ne pouvait penser qu'à ce gros cœur qui lui encombrait la poitrine, bloquait la circulation du foie, prenait la place de tous les organes et empêchait le fonctionnement du foie et des reins. Le Dr Guerraty avait bien dit que quand le cœur fonctionnerait, tout ça repartirait. Mais quand?... Maintenant, il était bel et bien décidé. Dès qu'il s'était familiarisé avec l'idée, qu'il en ait eu parlé à Huguette, à Martin, à Lyne, il s'était décidé brusquement. Comme quand il avait acheté sa maison par téléphone, ses deux dernières autos par téléphone. C'est drôle, même son cœur se négocierait par téléphone... Autres temps... Et il toussa sèchement.

Le Dr Guerraty arriva en coup de vent, plein d'énergie comme d'habitude. Gilles se sentit tout de suite un peu revigoré. Quel homme, ce Guerraty!

— Bonjour Monsieur Thibault, y a-t-il quelque chose de nouveau depuis que l'on s'est vu?

— Non. Toujours essoufflé.

— Êtes-vous capable de manger un peu plus?

— Ça dépend. Ce matin, j'ai mangé deux plats de céréales.

— Monsieur Thibault, j'ai révisé votre dossier et je dois vous dire plusieurs choses. C'est bien clair que votre cœur est fini. Les fractions d'éjection du cœur droit et du cœur gauche sont à moins de dix pour cent. Ça veut dire qu'à chaque fois que le cœur contracte, il y a moins de dix pour cent du sang qui est à l'intérieur du cœur qui se vide, et ça, ça démontre une insuffisance cardiaque, une mauvaise performance du cœur. Il n'y a pas de traitement médical pour ça. Il n'y a pas de pilules qu'on peut vous donner. Il n'y a pas de chirurgie conventionnelle que l'on peut faire pour améliorer ça. La seule solution est de remplacer le cœur.

»La deuxième chose que vous devez savoir est que vous faites des arythmies malignes. De temps en temps, le cœur devient très irrégulier. Au lieu de battre normalement, toujours à la même vitesse, à un moment donné, il fait des folies. Il va très vite ou plus lentement. Et ça, ça reflète un degré plus avancé aussi de votre cardiomyopathie.

»Une autre chose que vous devez savoir, c'est que votre état nutritif n'est pas très bon. On a fait des tests d'allergie ici dans les bras et vous êtes anergique. Ça veut dire que vous ne réagissez pas aux épreuves de laboratoire que l'on a faites. Vos défenses sont faibles. Et ça, c'est bon d'un côté pour une greffe car il y a moins de chances de rejet, mais ça pourrait être dangereux pour les infections. Une façon d'améliorer ça est de manger. Et comme vous n'êtes pas capable de manger de la nourriture ordinaire, on va essayer de vous donner de l'Ensure. De l'Ensure, peut-être que je vous l'ai déjà dit, c'est un concentré de protéines, de sucre et de vitamines qui sont prédigérées. C'est facile à prendre et vous devez l'absorber plus facilement. Vous devriez boire deux ou trois boîtes par jour de ce substitut alimentaire; on va essayer de commencer aujourd'hui.

»À la lumière de tous les autres examens que nous avons faits pour vos poumons, votre foie, vos reins, et en voyant l'évaluation de la travailleuse sociale, il n'y a pas de contre-indication à une transplantation, alors on vous a mis sur une liste d'attente d'un donneur en urgence parce que si on vous met sur la liste régulière, ça peut prendre un mois ou deux. Et je ne pense pas que ce soit sage d'attendre trop longtemps pour vous offrir un cœur. On cherche activement; non seulement ici, mais à Toronto et par les ordinateurs de Pittsburgh aux États-Unis. Et si on trouve un donneur, on va aller chercher le cœur et vous opérer.

»Je ne sais pas si je vous ai déjà expliqué comment se passe l'opération? Tout d'un coup, on reçoit un avis qu'il y a un donneur et moi je vous communique immédiatement la nouvelle. Je vous dis: «Oui, il y a une possibilité de donneur» et vous restez en *stand by*. Vous ne mangez pas, on vous prépare comme pour l'opération. Vous allez avoir un rasage et nous allons vous donner de la vitamine K pour neutraliser les médicaments pour éclaircir le sang. Et on va vous préparer pendant trois, quatre heures pour l'opération. Si le donneur est un bon donneur et que les tests de sang que l'on fait entre vous sont compatibles, on va vous opérer. Mais, il pourrait arriver qu'à la dernière minute, on annule l'opération. Parfois, le malade est rendu à la salle d'opération et on arrête tout parce qu'il y a des tests qui ne sont pas bons entre le donneur et le receveur. Il ne faut donc pas être surpris si ça vous arrive. À ce moment, on attend un autre donneur.

»Si jamais vous devenez plus essoufflé dans les jours qui viennent, on va vous transférer aux soins intensifs et on va vous donner d'autres médicaments dans la veine pour stimuler votre cœur. Et si ça va encore moins bien, on peut toujours mettre une machine dans la racine de la cuisse, dans l'artère fémorale, qu'on appelle un ballonnet intraaortique pour aider à soutenir votre cœur pendant quelques jours en attendant le donneur.

»Avez-vous des questions?

Gilles était très ému. Il se mordait la lèvre inférieure.

— Non, fait-il.

— Est-ce qu'il y a quelque chose qui vous inquiète et que vous aimeriez savoir?

— Non.

— Je pense qu'on a de bonnes chances que ça réussisse bien. Vous êtes très malade, mais pas encore au stade où vous êtes supporté par des machines. Moi, j'aimerais vous trouver un donneur de votre groupe, le groupe B donc, et faire l'opération dans les jours qui viennent.

— Le plus tôt possible.

— Votre épouse est bien d'accord? Aucun doute dans la famille?

— Non. Huguette va venir tout à l'heure avec mes frères.

— Si elle a des questions ou le moindre doute, dites-lui de m'appeler et on va se parler au téléphone ou je viendrai la voir.

— Elle va être ici vers 10 h 30.

— D'accord.

— Les questions que... Il s'agit de vivre une journée à la fois... c'est vous qui êtes le *boss*.

— Je pense que vous allez être capable de reprendre un travail normal à un moment donné, de reprendre vos activités. Au bout de trois ou quatre mois, vous allez pouvoir reprendre une vie normale.

Le Dr Guerraty se leva, mit la main droite sur son cœur puis la tendit à Gilles:

— O.K., bonjour. Soyez sage là, dit-il, l'air narquois, un petit sourire en coin.

Trois minutes après, Huguette arriva avec André et Estelle, Roger et Thérèse Thibault:

— Bonjour, bonjour, bonjour.

— Bonjour, le Dr Guerraty sort d'ici et il m'a dit des grands mots.

Et il raconta à sa famille ce que venait de lui apprendre son médecin.

— Tout le monde a bien hâte que ça se fasse, dit Huguette. Je dois justement appeler Lyne dans quelques minutes à Vancouver...

— Dis-lui de ne pas descendre pour rien.

Gilles était appuyé sur son oreiller déposé sur sa table, selon une vieille habitude maintenant. Il avait l'air à bout de forces, hyperfatigué. Il toussa sèchement. Huguette lui massa doucement les chevilles. Elles étaient très enflées, tout comme le dessus de ses pieds d'ailleurs. Gilles toussa et souffla très fort. Son frère André le peignait. Et ils causaient tranquillement de bouffe, le sujet préféré de Gilles.

Et les jours passaient... Gilles était dans un état stationnaire. Mais comme on n'avait pas les appareils voulus pour le monitorage, rendu nécessaire pour sa santé, on dut le descendre aux soins intensifs.

Le Dr Normand Poirier, chirurgien cardiaque et membre vital de l'équipe du Royal Vic, était venu lui expliquer les raisons de son transfert:

— Votre insuffisance cardiaque est tellement sévère que vous faites de l'œdème, de l'eau dans les tissus. Vous avez les jambes, le foie, le ventre enflés. Il va falloir vous transférer aux soins intensifs pour commercer une médication intraveineuse et augmenter votre débit cardiaque ainsi que votre débit urinaire afin que vous puissiez éliminer tout ce liquide. Avec tout ce fluide dans le corps, il n'y a plus de place pour la nourriture et vous êtes encore plus essoufflé.

Le 24 avril 1986, c'était le 26e anniversaire de mariage des Thibault. Dans sa chambre qu'il partageait avec un autre, Gilles se retrouvait du côté de la porte. Sa femme vint le voir avec Gisèle, sa sœur, et son mari, François.

— Bon anniversaire, pit! lui souhaita-t-elle en l'embrassant.

Tout le monde était heureux; Gilles, encore une fois, parlait des gueuletons, des repas qu'il prendrait quand il aurait eu sa greffe, mais surtout du festin qu'il se réservait pour son premier repas à la maison: filet mignon et champagne. Il comptait bien y retrouver les membres de sa famille qui pourraient y assister et l'équipe de Radio-Canada qui filmait l'histoire de sa transplantation. La conversation glissa à un autre sujet qu'il affectionne, la pêche. On raconta des histoires de pêche, de perchaudes. Même le réalisateur de Radio-Canada, Jean Rémillard, se fit tirer la pipe parce qu'il aime aussi aller pêcher dans le Nord.

— Monsieur Rémillard, dit Gilles à sa famille, pêche la semaine, et la fin de semaine, il gagne des indulgences: il va voir les malades à l'hôpital.

Tout le monde rit de bon cœur et Gilles reprit:

— Vous aimez mieux filmer les malades que les poissons parce qu'ils ne bougent pas eux...

Et ça rigolait dans la chambre.

Tout en fatiguant Gilles, cette animation lui faisait chaud au cœur. La vie l'entourait. La bonne humeur régnait et ça le remontait un peu.

Pourtant, son cœur était peut-être trop fragile pour ce genre de bonheur, parce que, dans la nuit, il fit de la tachycardie ventriculaire et on dut le défibriller. On lui expliqua que c'était une sorte d'arythmie maligne, un trouble du rythme qui s'accélérait trop et que, pour que son cœur batte au rythme normal de soixante-dix battements à la minute, il fallait lui donner des chocs électriques. Des fois, un seul suffisait, mais généralement, on devait en administrer plus d'un. La nuit fut donc assez perturbée pour Gilles.

Le lendemain, le vendredi 2 mai, c'était la réunion des membres de l'équipe de transplantation pour savoir si Gilles serait greffé ou non. Dans sa tête à lui, il était sûr d'être greffé. Mais on lui avait bien dit qu'il y aurait une évaluation de son cas.

C'est un jeune médecin qui présenta le futur candidat à la greffe:

— Monsieur Thibault est un homme âgé de 46 ans qui nous a été référé par le Dr Anne Ouellet de l'Hôpital Pierre-Boucher. Son histoire cardiaque remonte à 1981 alors qu'il a développé un œdème pulmonaire et un épanchement péricardique. Il a été bien jusqu'en 1984 alors qu'il dut quitter son travail à cause d'un essoufflement. Il a été relativement stable jusqu'à son hospitalisation en février 1986 pour une insuffisance cardiaque globale, à la suite de laquelle se sont développées deux pneumonies consécutives au poumon droit. En ce moment, il est essoufflé au repos et confiné au lit. Il fumait dix cigarettes par jour depuis l'âge de seize ans mais ne fume plus depuis 1975. Jusqu'en 1981, il buvait modérément. L'examen nous montre un homme pâle et bleuté assis dans son lit, souffrant de troubles respiratoires, qui respire mieux au repos, dont la pression sanguine est de 90 sur 60 avec un pouls à 110. La veine jugulaire est dilatée jusqu'à 15 cm (6 po). À l'auscultation, on note un souffle holosystolique de grade 3. À la percussion pulmonaire, on décèle une matité à la base droite; l'auscultation révèle l'absence de murmure vésiculaire; à la base gauche, on entend des crépitations fines. Le foie est palpé à 10 cm (4 po) sous le rebord costal. Il n'y a pas d'évidence de maladie vasculaire périphérique. L'ECG montre un bloc de branche gauche complet. Le rayon X des poumons, fait au Royal Vic, indique un épanchement pleural droit. Le liquide obtenu par ponction était jaune; la biochimie révèle un transsudat et les cultures dénotent l'absence d'infection. Un cathétérisme cardiaque droit démontre une augmentation de la résistance vasculaire pulmonaire à 3,6 unités Wood. Le débit cardiaque est de 2,8 litres par minute. La biopsie du myocarde a permis de détecter des anomalies compatibles avec une cardiomyopathie idiopathique. Les artères coronaires sont normales. En conclusion, Gilles Thibault a une insuffisance cardiaque biventriculaire en phase terminale. En considérant ses antécédents de péricardite en 1981, il est fort possible qu'il ait eu une myocardite virale. Il a une capacité fonctionnelle de grade 4 dans la classification de la New York Heart Association. Étant donné sa détérioration rapide depuis quelques mois, il semble peu probable qu'il puisse continuer ainsi avec une telle condition cardiaque. Aussi, Monsieur Thibault possède-t-il toutes les indications pour une transplantation cardiaque d'urgence et ne présente pas de contre-indications apparentes.

Son chirurgien ajouta:

— Pour résumer, il s'agit d'un patient de 46 ans qui est marié, père de deux enfants, et présente une histoire d'insuffisance cardiaque progressive de cinq ans d'évolution. Il est en stade 4 de la New York Heart Association. Sa créatinine est à 1,4 et sa bilirubine totale à 1,6; il a une congestion hépatique très marquée. Ses études hémodynamiques ont démontré qu'il n'y avait pas d'élévation significative de sa résistance pulmonaire.

Chaque médecin donna ensuite son opinion:

— À court terme, sa défaillance cardiaque va progresser: ça ne peut pas durer.

— Côté microbiologie, il n'y a aucune infection.

— Il est anergique cependant, donc il ne peut réagir contre les infections.

— Le typage HLA démontre l'absence d'anticorps.

— Il a perdu 35 livres (16 kilos) depuis février parce qu'il ne peut se nourrir. Il a des troubles digestifs. C'est un symptôme que l'on voit souvent chez les malades en phase terminale d'une maladie cardiaque. Ils ne sont pas capables de digérer, probablement à cause du bas débit cardiaque.»

— Un cachectique (amaigri par malnutrition ou maladie) cardiaque, opéré en anergie n'a aucune chance de survie. Il ne passe pas à travers parce qu'on n'arrive pas à l'extuber. Et il a complications par-dessus complications.

— L'anergie résulte-t-elle de son hypoalimentation ou de son état général?

— Le foie se palpe à 25 cm (10 po) sous le rebord costal. Il est dur et tranchant comme du bois. Il fait de l'ascite (liquide jaunâtre dans le ventre).

— Il vient d'une famille très unie; sa femme est très forte; elle ressent beaucoup de stress depuis son hospitalisation. Son fils a une grande maturité pour son âge. Le patient est très proche de son fils et de sa fille.

— Il faudrait renverser l'anergie.

— J'ai rarement vu un malade anergique, qui ne réagit à aucun antigène, souffrant d'insuffisance cardiaque et d'ascite...

— Il faudrait lui dire que le risque est plus grand pour lui que pour un autre à cause de son anergie. Il faut l'hyperalimenter. Moi, je l'opérerais, mais c'est un gros risque.

— Il prend actuellement trois canettes d'Ensure et n'en tolère pas plus. Il reçoit environ mille calories par jour.

— On l'accepte comme il est ou on le refuse mais je crois qu'on est obligé de l'accepter.

— Il ne faut pas oublier la tachycardie ventriculaire qu'il a faite hier soir.

— Il n'a pas d'adénopathie (gonflement des ganglions).

— L'anergie est l'incapacité de se défendre contre une attaque des organismes externes. C'est un patient qui est tellement malade qu'il a tout détruit son système de défense. La façon de le découvrir est de lui faire des tests sous-cutanés et de regarder s'il peut réagir. Normalement, les liquides injectés déclenchent de gros placards rouges sur les bras, c'est la défense contre l'agression externe. Les patients cachectiques n'ont aucune réaction. On peut leur mettre n'importe quoi et ils n'ont aucune réaction. Le corps ne se défend plus. Si on les opère, ils sont tellement démunis que le taux de mortalité est très élevé.

»Si on s'occupait de nos statistiques et qu'on voulait les garder les meilleures possibles, on ne grefferait pas Monsieur Thibault. Mais peut-on le refuser? Dans l'état actuel, il ne verrait pas le mois de juin. On est prêt à le transplanter en sachant que pendant la phase postopératoire, ce sera plus long pour lui d'être sevré du respirateur. Il va aussi falloir lui donner une hyperalimentation.

— Ses systèmes respiratoire et rénal ainsi que sa condition mentale sont assez bons. Bons reins, bons poumons; intellectuellement, aucun trouble.

— Le problème d'éthique est difficile. Je pense que la meilleure façon de traiter les gens est de les prendre tels qu'ils arrivent, de les évaluer objectivement et de leur offrir tous les traitements que l'on peut leur donner. La chose la plus importante est d'expliquer au patient surtout, le pour et le contre, car c'est lui qui subit l'opération. On lui parle de son état, de ce qu'on peut lui offrir: chirurgie conventionnelle ou greffe, avec les avantages, les désavantages et les risques. C'est le malade qui décide pour lui-même. La dernière responsabilité lui appartient. On parle énornément en ce moment des consentements bien éclairés pour se faire traiter. Un patient a droit à une information complète et très honnête de sa situation et de ce qu'on peut lui offrir. Et à la suite de ça, c'est notre devoir de le traiter, et aussi, de façon un peu secondaire, après lui, sa famille.

Et finalement, tout le monde se rallia à la possibilité de la greffe.

Ce problème d'éthique s'était résolu en faveur de Gilles mais, comme l'avait expliqué un des médecins à un participant à la réunion:

»Il est évident lorsqu'on travaille tous les jours en médecine, que ce n'est pas une science exacte. Ce n'est pas de la comptabilité ou du génie civil. Il y a une grande partie du traitement des patients qui est une évaluation au meilleur des connaissances d'aujourd'hui. Dans vingt-cinq ans, on comprendra les choses beaucoup plus clairement qu'on ne les comprend aujourd'hui avec des explications beaucoup plus évidentes. Si on retourne un petit peu en arrière, il n'y a pas longtemps, les infections, c'était incompréhensible: il n'y avait pas d'antibiotiques. Et les gens disaient: «Il est mort» et haussaient les épaules. Mais, à mesure que la science se développe, on comprend un peu mieux.

Et c'était bien vrai. Avec la meilleure volonté du monde, les médecins ne peuvent traiter qu'au moyen des outils mis à leur disposition.

Tout de suite après la réunion, le Dr Guerraty s'en fut voir Gilles Thibault et lui annoncer qu'il était finalement accepté pour la greffe cardiaque. Les larmes vinrent aux yeux de Gilles et il ne put qu'esquisser un merci tellement l'émotion l'avait envahi. Le médecin le laissa se reposer.

La joie étreignait Gilles à la pensée qu'il aurait son petit cœur de rechange... Et il se remémora les cinq dernières années passées dans la souffrance. Il se rappela comment on avait essayé de lui faire accroire que sa maladie était mentale; qu'à ses troubles respiratoires, on avait donné une raison hépatique, stomacale, rénale ou intestinale alors que ce n'était ni son foie, ni son estomac, ni ses reins, ni ses intestins. Il se souvint comment il ne savait plus que penser. Ces professionnels qui étaient censés savoir plus que le malade ce dont il souffrait lui avaient fait croire qu'il était «capoté», qu'il «virait à l'envers». Puis, lui revinrent en mémoire les séances chez le chiro après lesquelles il n'arrêtait pas de se dire: «Ce n'est pas grave s'il me fait mal, c'est pour mon bien, je vais l'endurer. Si le médecin n'est pas capable de me soigner, lui au moins il va faire quelque chose.» Et il se sentait mieux psychologiquement un peu comme lorsqu'une dent fait mal et qu'on la fait enlever: elle ne fait plus mal mais ça fait mal. La différence, dans son cas, c'est qu'il recommençait toujours à avoir l'autre mal le lendemain... Mais chez un chiro, se raisonnait-il, tout ne se replace pas la première fois. Qu'il était loin de cette époque. Quel chemin parcouru depuis qu'il avait été pris en main par des gens compétents. Et il revit la figure réconfortante du Dr Ouellet, le premier médecin à l'avoir pris au sérieux.

Et l'attente continuait... Le lundi 5 mai 1986, le Dr Guerraty vint le voir. Gilles avait l'air abattu; très maigre, la peau encore plus flasque, il avait de plus en plus de difficulté à respirer. On prit sa température.

— Bonjour Monsieur Thibault. Comment s'est passée la fin de semaine?

— Bien.

— Le moral est bon?

— Il faut bien le garder le moral! Le Dr Guerraty lui ôta le thermomètre.

— Comme on vous l'a expliqué vendredi, on cherche toujours un donneur. Aux États-Unis, dans l'Ouest canadien et au Québec. On n'en a pas eu dernièrement. Vous êtes le premier sur la liste et j'aimerais bien vous garder ici aux soins intensifs jusqu'à ce qu'on vous trouve un donneur.

Le chirurgien releva la chemise de Gilles pour l'ausculter. Il était terriblement décharné.

— Vous avez un gros foie: je crois qu'on devrait vous donner un support médicamenteux; respirez fort; encore; respirez fort; encore; encore; encore; ne respirez pas; bien. C'est une période difficile pour vous et votre famille mais aussi pour nous, parce qu'on est tous en *stand by* mais on n'a pas le choix. Il faut être patient. Je suis presque sûr qu'on va trouver un donneur et qu'on va vous opérer. Soyez patient.

— Nous, on l'est, mais les gardes aussi le sont.

Gilles jouait machinalement avec un crayon, l'air épuisé. Le Dr Guerraty lui serra la main et lorsqu'il la laissa, elle retomba mollement sur le lit.

Le chirurgien était inquiet pour son patient. Sa pression chutait; il faisait de l'œdème, de l'eau dans les poumons; il avait une défaillance du cœur droit; son foie était très gros; il n'éliminait pas bien tout ce liquide accumulé; il devait prendre une bonne quantité de médicaments; il pouvait mourir n'importe quand car il faisait des arythmies malignes. La partie électrique du cœur ne fonctionnait pas bien; il allait en arythmie ventriculaire; au lieu d'avoir un cœur qui battait à cadence régulière, celle-ci devenait très rapide à un moment donné et arrêtait.

De soixante-dix battements par minute, le cœur accélérait à 180 sans que le malade ait fait un effort ou quoi que ce soit de particulier. Ce genre de comportement du cœur était une tachycardie ventriculaire. Elle se produisait parce qu'un foyer anormal du cœur devenait plus rapide, plus actif que le normal; le cœur devenait hyperactif ou aberrant et son efficacité était alors moindre. On pouvait régler ce problème avec des médicaments et, lorsque cela ne fonctionnait pas ou que les quantités nécessitées étaient trop importantes, il fallait avoir recours à la défibrillation ou à la cardioversion.

Lorsqu'on défibrille de l'extérieur, on donne un choc électrique, c'est-à-dire qu'après avoir apposé deux électrodes sur la poitrine du malade anesthésié légèrement, on fait passer entre les deux une décharge de 100 à 400 joules; cette dernière traverse le cœur et suspend tout battement pendant une fraction de seconde. Puis le foyer de commande normal du cœur se remet en marche et le cœur reprend son battement de 70 par minute. Comme la décharge donnée est brève et unique, elle ne représente aucun danger pour le cœur. Pourtant, en courant continu ou alternatif, un voltage plus faible réussirait à provoquer une électrocution.

Lorsqu'on a recours à la cardioversion, on synchronise la décharge avec un moment précis de l'activité cardiaque. C'est le même choc électrique mais, grâce à un appareil ultraspécialisé, il ne sort qu'à un moment choisi, c'est-à-dire au sommet de l'onde R du QRS, soit au sommet de l'activité électrique.

Quand a lieu cette décharge électrique, elle dépolarise les cellules musculaires du cœur. Celles-ci reprennent par la suite spontanément une activité électrique normale. Mais la perte de ces cellules est moins grave que la tachycardie ventriculaire.

Si la décharge électrique est donnée pendant l'onde T, le cœur va fibriller, c'est-à-dire que chaque fibre musculaire se contractera isolément comme pour son propre compte. Le cœur ne peut alors plus assurer la circulation sanguine.

Cette nouvelle complication dans l'état de Gilles rendait donc plus urgente la découverte d'un cœur compatible. Mais le temps continuait à passer lentement pour le futur greffé, sa femme, ses enfants, sa famille.

Le dimanche 11 mai 1986, Madame Rebecca Thibault, la mère de Gilles s'annonça. Elle viendrait le voir avec son autre fils Denis et son épouse Mariette. C'était le jour de la fête des Mères. La famille avait bien essayé de lui dire d'y aller un autre jour, mais son idée était faite. C'était aujourd'hui qu'elle venait voir son fils Gilles. Elle arriva toute pimpante, embrassa son fils qu'elle trouva très changé et lui annonça avec assurance:

— J'ai dit à saint Antoine que je lui arracherais un poil de sa tête à chaque journée qui passait sans qu'on trouve un cœur. Alors ne t'en fais pas Gilles, saint Antoine va te trouver un cœur. Il trouve mon aiguille, mon fil, mes patrons pour mes couvre-pieds, donc ne t'énerve pas avec ça!

Et il faut croire que saint Antoine s'est forcé parce que le jour même, le Dr Earl Wynands vint parler à Gilles de la possibilité d'un cœur. Avant de lui annoncer officiellement quand même, il fallait s'assurer que c'était un cœur qui était compatible, que son organisme ne rejetterait pas. Et c'est à 16 h 40 que le Dr Guerraty vint voir Gilles. Celui-ci, vêtu d'un pyjama rouille clair, sans veste, avait les traits tirés, la figure hâve, l'air inquiet; mais sa figure s'illumina à la vue du chirurgien qui arriva souriant, les mains tendues. Gilles lui prit la main des deux mains.

— Allô! Comment ça va Monsieur Thibault?
— Très bien.
— Est-ce que votre épouse est ici?
— Elle est dans le solarium.
— Nous allons aller la chercher et nous parler tous les trois. Couchez-vous bien droit s'il vous plaît, Monsieur Thibault. Le moral est bon?
— Très bon.
— Dans un autre hôpital de Montréal se trouve une personne très jeune, qui a à peu près le même poids que vous, un peu moins, mais ce n'est pas important. Elle était en pleine santé et a eu un accident de voiture. Elle est en mort cérébrale maintenant; j'aimerais bien prendre le cœur car il est très bon. On a fait des études de *cross match* (épreuve croisée) pour regarder si votre sang était compatible avec le nouveau cœur et il l'est. On a déjà les résultats. On ne devrait pas avoir de problèmes. Moi, je vais quitter l'hôpital maintenant pour aller avec d'autres personnes prélever le cœur à l'hôpital où se trouve le donneur. Le Dr Jean Morin va s'occuper de vous ici avec le Dr Wynands qui est l'anesthésiste. Ils sont très compétents tous les deux. Il n'y a pas de problème. Le Dr Morin est le chef de service et il est habitué à faire ce type de travail. Et le Dr Wynands

aussi. Il est le chef d'anesthésie cardiaque. Ils sont tous les deux très gentils. Ils vont vous amener à la salle d'opération dès que nous aurons donné le feu vert de l'autre hôpital. Ils vont vous transporter là-bas, vous préparer, changer les lignes que vous avez, mettre des tubes dans les veines, un tube dans le pénis pour surveiller le débit urinaire, vous endormir et vous donner des médicaments. Quand nous leur dirons qu'il est temps, ils vont ouvrir le thorax et vous mettre sur pompe. Il s'agit d'un système de circulation extracorporelle permettant de vous maintenir en vie pendant que l'on fait l'opération.

Tout en lui parlant, le Dr Guerraty mit la main sur sa cuisse pour le rassurer.

— Une fois que nous arriverons ici avec votre nouveau cœur, nous enlèverons votre cœur à vous et nous mettrons le nouveau. L'opération devrait durer au total à peu près trois heures. La partie principale, c'est-à-dire seulement l'implantation du nouveau cœur, devrait prendre à peu près trente minutes. Après l'opération, on va vous déménager aux soins intensifs chirurgicaux, à côté de la salle d'opération. Vous aurez une chambre privée et une infirmière sera constamment à votre chevet.

»Au début, la première journée, il y en aura deux et dès le lendemain, une seule. Et moi, je resterai avec vous au moins pour vingt-quatre heures, dans votre chambre ou celle à côté. Nous sommes habitués à faire ce type de chirurgie et d'ordinaire, ça marche très bien. Je ne prévois pas de problème chez vous. Ça devrait aller aussi.

— Moi non plus, je n'en prévois pas, je suis tellement confiant.

— Quand on finira l'opération, je vais appeler votre épouse à la maison. Dites-lui d'aller à la maison, ça va être plus facile pour elle. Et je lui donnerai des nouvelles.

«Une chose qui est bien importante, Monsieur Thibault, une fois que vous aurez repris conscience, vous vous rendrez compte que vous avez un tube dans la bouche. Et ce tube est branché à une machine pour vous aider à respirer. Ce n'est pas agréable d'avoir ce tube. Dès que ce sera possible, on va l'enlever. Si on le laisse, c'est parce qu'on ne peut pas l'ôter tout de suite. Mais je vais vous tenir au courant de ce qui se passe. Je vous expliquerai pourquoi on ne l'enlève pas, si ce n'est pas possible. D'habitude, de six à huit heures après l'opération, on peut l'enlever. Dès que vous vous réveillerez, en fait, peu après, on pourra vous en débarrasser.

»Je vous tiendrai toujours au courant de ce qui se passe. Si ça va bien, je vous le dirai; si ça va mal, je vous le dirai aussi. Pour que vous puissiez nous aider. Essayez de suivre nos conseils. Si on vous demande de prendre de grosses respirations, de tousser, d'expectorer, faites-le parce que c'est important. D'accord? Avez-vous des questions?

— La seule question, comme je vous ai dit, je vous ai mis ça entre les mains.

— Inquiétez-vous pas, ça va bien aller, O.K.? On va se revoir tantôt, mais vous, vous allez être endormi. Alors on va pouvoir se parler vers la fin de la nuit seulement. Tôt demain matin peut-être. Mais dès que vous serez réveillé, je vais vous parler. D'accord?

— Parfait!

— Bonjour!

— Merci beaucoup.

Et Gilles tendit la main au chirurgien et la lui serra avec le peu d'énergie qui lui restait. Le médecin lui toucha le pied avant de partir pour le réconforter.

Sur les entrefaites, Huguette arriva, et le Dr Guerraty l'accueillit d'un «bonjour» très engageant:

— Écoutez, il y a un donneur qui me semble un excellent donneur. Il est dans un autre hôpital à Montréal.

— Mmm... mmm...

— Je pense qu'on va prendre son cœur et faire l'opération aujourd'hui. Mais ça peut arriver parfois que le malade soit sur la table d'opération, prêt à être opéré et qu'on annule l'opération à la dernière minute parce qu'on juge que le donneur a un problème ou que le cœur n'est pas aussi bon qu'on le pensait. Et il ne faut pas que vous soyez désappointée ou que votre mari le soit parce que ça peut arriver, ça. «Vous êtes mieux de partir chez vous une fois qu'il sera à la salle d'opération. Moi, je vous appellerai à la maison. Vous seriez plus confortable chez vous qu'ici.

— Je préfère attendre ici.

— Si vous voulez rester ici, à côté de la salle d'opération, il y a une petite salle d'attente.

— Je pense que j'aime mieux attendre ici. Je le sais, ça va être long, je le sais...

— Tout de suite après l'opération, je vais vous voir là. Si je ne vous y trouve pas, je vais appeler à la maison.

— Je vais probablement être là.

— Bonjour.

— Merci.

— Oh! Monsieur Thibault, répéta-t-il en se tournant vers Gilles, une chose que je ne vous ai pas dite peut-être. À la dernière minute, il peut arriver que l'on annule l'opération et il ne faut pas que vous soyez désappointé. Parfois, le malade est à la salle d'opération, préparé pour être endormi et on annule parce qu'à l'examen, le cœur là-bas n'apparaît pas tout à fait normal. Si on vous opère, c'est parce qu'on est sûr ou presque sûr que ça va bien aller et que le cœur est bon. Alors ne soyez pas trop déçu si on décide de ne pas opérer et d'attendre un autre donneur. Soyez préparé pour cette éventualité.

— Y a pas de danger, vous n'avez qu'à tourner le bouton et à me faire geler, dit Gilles.

Huguette rigolait.

— On attendra un autre donneur: c'est pas plus grave que ça. C'est tout. Mais on a quatre-vingt-dix-huit pour cent de chances de faire l'opération.

— O.K. Doc.

— Bonjour.

— Merci Docteur.

Huguette était tout heureuse, la figure épanouie, du soleil dans la voix. Elle secoua la main du Dr Guerraty avec dynamisme et lui dit un grand merci, puis elle se rendit auprès du lit de Gilles et lui caressa les pieds. André et Estelle Thibault l'accompagnaient. Dès le départ du chirurgien, elle se tourna vers son mari et lui dit tendrement:

— C'est du beau travail; on est prêts, hein?

Elle lui tapota doucement la joue et dit:

— Tu es prêt mon bonhomme?

— Oui.

— Tu avais dit: «Si le cœur peut arriver, je me rendrai à la salle d'opération à pied.»

— J'irais bien à pied mais ils ne veulent pas.

— Je viens de parler à Lyne, et elle voulait prendre l'avion pour venir te voir. Je lui ai dit: «Wo, wo, wo, je t'en donnerai des nouvelles.» Elle a répondu: «Embrasse papa bien fort pour moi, je suis là.» Ça fait un mois, jour pour jour que tu es ici. Tu es entré le 10 avril et aujourd'hui, on est le 11 mai: ça a bien été, hein?

— Y a des journées qui ont paru un mois...

— Y a des journées qui ont paru longues, mais mon Dieu que je suis contente. Il faudrait faire une belle prière pour remercier le bon Dieu!

— Tantôt, le Dr Guerraty m'a parlé du cœur. Il m'a dit qu'il irait vérifier s'il était en bon état et m'en donnerait des nouvelles en revenant, et finalement ç'a été de bonnes nouvelles!

Les infirmières se succédaient à son chevet, se nommant, précisant l'objet de leur visite et repartant après avoir exécuté le test, fait l'examen, prélevé le liquide ou injecté le médicament qui les amenait. Une jeune et jolie garde vint lui poser quelques questions de routine afin de s'assurer que le dossier était en ordre:

— Vous êtes allergique à la pénicilline et à l'aspirine?

— Oui.

— Êtes-vous allergique à autre chose?

Et Gilles répond en toussant:

— La cigarette.

Elle se mit à rire et dit:

— D'accord.
— Vous allez me donner votre prénom s'il vous plaît.
— Gilles.
— À quelle heure avez-vous mangé ou bu?
— J'ai pris des pilules tout à l'heure avec une petite tasse d'eau. Ce matin, j'ai mangé deux plats de céréales puis, vers dix heures, une canette d'Ensure plus, comme me le suggérait le Dr Guerraty.

Elle sortit de la chambre du malade. Gilles pianota machinalement sur son matelas. Huguette lui caressa les joues et l'embrassa. Deux larmes perlaient aux creux de son œil. Elle frotta l'épaule puis la cuisse de Gilles, frotta son nez sur le sien, lui serra affectueusement la main. Gilles se détendit un petit peu. Il joua nerveusement avec les fils des solutés. Puis il se remit à parler de bouffe. C'était plus fort que lui. Il avait assez hâte de pouvoir manger à sa faim, de faire à nouveau la popote...

Puis, se continuèrent les préparatifs: prise de médicaments, rasage du thorax, de la barbe (pour la première fois) et toilette pour l'opération. Et finalement, deux aides-infirmiers vinrent chercher Gilles pour le descendre. On sortit le lit de sa chambre. Huguette marchait à côté du lit et tenait son mari par la main. Aux portes coulissantes du service opératoire, Huguette le laissa continuer seul, car elle ne pouvait y entrer, et se dirigea avec André et Estelle vers la petite salle d'attente dont lui avait parlé le chirurgien.

Sur les entrefaites, Martin, Jacqueline, Gisèle et Nicole arrivèrent pour épauler Huguette. Elle fut tellement surprise qu'elle leur sauta au cou et sentit un regain d'énergie. Ce soutien moral additionnel lui faisait vraiment chaud au cœur.

Et Gilles fut poussé, sur son lit, jusqu'à la porte de la salle d'opération; pendant qu'il attendait dans le couloir, l'anesthésiste, le Dr Wynands vint le voir. Il portait au cou un drôle de totem attaché par une corde; c'était une plume.

— Vous avez une belle petite statue dans le cou, me la donneriez-vous? lui demanda Gilles taquin en jouant avec.

Le médecin, tout habillé, chapeauté, botté et masqué pour la salle d'opération lui fit non de la tête en riant. Gilles lui tapota le bras pour insister en riant lui aussi.

— Je vais vous anesthésier ce soir avec les Drs Paul-Émile Barbeau et Patrick O'Connor.

— Est-ce que je vais être 'correct' pour aller à la pêche à la fin de mai?

— Oui.

— C'est parfait.

— À bientôt.

— Merci docteur.

Dès son départ, Gilles se recroquevilla du côté droit. Peu après, on vint le transférer sur une civière et il entra à la salle d'opération. Il était 18 h 30.

Le «bip» du sérum, l'ambiance emplie de fluides circulants était entrecoupée du cliquetis des instruments chirurgicaux et des chuintements du respirateur. À voix basse, les médecins échangeaient des renseignements ou des commentaires. La salle d'opération était une ruche où s'affairaient des personnes qui rituellement répétaient les mêmes gestes préparatoires qu'imposait toute nouvelle greffe cardiaque. Sous les lumières crues, chacun faisait son travail, selon un scénario éprouvé. On transféra le malade sur la table.

On étendit en croix les bras de Gilles que l'on attacha chacun à une planche fixée sous la table d'opération. On le désinfecta et on le piqua tout en l'avertissant que ça ferait mal. Il était couché sur un matelas de polyuréthane bosselé. On lui avait entouré les pieds de polyuréthane mousse. On installa les solutés et lignes nécessaires.

Gilles était calme. Les piqûres ne le dérangeaient pas. Ce n'est qu'une fois toutes les canules installées qu'il eut l'air de souffrir un peu. On ôta les planches et on étendit ses bras le long de son corps pour les fixer avec un drap. Il était 18 h 55.

Une infirmière tenta de rassurer Gilles:

— Vous allez voir, ça va très bien se passer. Quand vous vous réveillerez, vous aurez faim, vous allez voir!

— J'ai déjà faim.

Et les gens autour se mirent à rire. Car depuis qu'ils connaissaient Gilles Thibault, il ne parlait que de bien manger, de prendre des gueuletons, de préparer mille et un petits plats. Et même sur la table d'opération, il avait la même idée, il n'en démordait pas: manger les bons mets qu'il aimait tant à faire mijoter, qu'il fricotait avec amour pour les siens. Il ne songeait qu'à se régaler et cette seule pensée lui donnait le goût de vivre, un goût féroce de guérir et de recommencer à vivre. Comme une incantation, il se plaisait à causer bouffe, pensant peut-être ainsi exorciser la maladie.

Le Dr Guerraty avait appelé pour demander d'attendre un peu car le foie du donneur prenait beaucoup de temps à prélever. Puis il retéléphona pour donner le feu vert. C'est alors qu'on endormit Gilles et qu'on s'apprêta à ouvrir le thorax. Il était 20 heures.

On lui mit un tube en «u» dans le nez et le masque à gaz. Puis, diachylon, cathéter pénien, badigeonnage, pansements sur les yeux, champs stériles, plastique sur le thorax: le patient était prêt.

Le Dr Jean Morin entra à la salle d'opération où l'attendait le résident de chirurgie le Dr Hani Shenib. Il ouvrit le thorax: coupe de la peau, sciage du sternum, pose de l'écarteur, entaille du péricarde. Le cœur apparaît, violacé, battant avec difficulté. On tendit le péricarde et l'attacha à la peau du thorax. Il était maintenant 9 h 20.

Le nouveau cœur devait arriver à 9 h 40. C'étaient les Drs Albert Guerraty et Tom Burdon, le résident en chirurgie, qui le prélevaient. Arrivés à l'hôpital pour enfants de Montréal à

17 h 30, ils avaient été accueillis par le Dr Lu Nguyen en français:

— Allô, vous parlez français?
— Oui Monsieur.
— Vous venez du Royal Vic?
— Oui.

Poignées de main, sourires.

— Nous attendons les médecins de l'hôpital Notre-Dame et le Dr Frank Guttman notre chef de chirurgie pédiatrique. Les reins vont être greffés à Notre-Dame, le cœur, chez vous, le foie, on ne sait pas encore.

Les chirurgiens du Royal Vic entrèrent à la salle d'opération, après s'être brossés, pour préparer le donneur. La perfusionniste qui les accompagnait, Jolène Carbonneau, y était déjà. Elle aimait beaucoup son travail dans l'équipe de transplantation cardiaque et le faisait avec un soin et une attention qui épataient toujours les médecins. Comme sa collègue France Burdon d'ailleurs, qui était restée au Royal Vic près de Gilles. Elles étaient toujours prêtes pour actionner la machine de circulation extracorporelle où et quand que ce soit et étaient très professionnelles. Tout était donc déjà amorcé et on attendait les autres chirurgiens. C'étaient les Drs Jacques Corman, le spécialiste des greffes rénales et un résident en chirurgie, Raymond Arnoux. Les Drs Luong Nguyen, chirurgien pédiatrique, Sushee la Sangwan, anesthésiste et Joel Katz, résident en anesthésie étaient déjà à la salle d'opération avec les médecins résidents Frank Thomas, Lisa Wathers et Deborah Albert de même que les infirmières Emelyn Almonte, Sandra Grant et Ann Waldron.

L'opération commença. Il était 18 heures. Ce n'est qu'à 18 h 28 qu'on écarta le sternum. Le Dr Guttman arriva à 19 heures et la dissection du foie débuta. Mais ce n'est qu'à 21 h 07 que les chirurgiens purent commencer à prélever le cœur. Le Dr Guerraty avait auparavant vérifié le dossier du donneur et avait demandé des copies de la feuille d'analyse, de l'EEG ainsi que de l'autorisation des parents. Il était bien fier de ce cœur qui sauverait son malade.

Il injecta au donneur la solution de cardioplégie qui allait permettre d'arrêter et de refroidir le cœur pour pouvoir le conserver pendant quatre heures. Les ordres se succédaient:

— Clamp s'il vous plaît.
— *Slush* (glace) *please.*
— *A new sucker* (aspirateur) *please.*

La succion ne se faisait pas. L'anglais et le français se mêlait: on était dans un hôpital anglais, le Children's.

— La cardioplégie coule bien, Jolène?
— Oui, très bien.

Clic, clac, clac. Le cœur de rechange fut libéré et transporté avec soin à une table attenante où les deux chirurgiens l'apprêtèrent pour la transplantation. Il était 21 h 18.

— Le cœur a l'air excellent, dit le Dr Guerraty.
— Oui.

Le cœur paralysé et froid fut enveloppé successivement dans trois sacs en plastique stérile. On le déposa par la suite dans la glacière à pique-nique remplie de glace.

Puis ce fut la course jusqu'à l'ambulance. Elle partit. La sirène hurla. L'ambulance bondit. Le voyage fut rapide et brusque. À un moment donné, Jolène ne put s'empêcher de faire remarquer:

— N'oubliez pas qu'il faut le greffer ce cœur...

Le chauffeur se fit plus prudent. Cinq minutes s'écoulèrent. Puis, ce fut l'arrêt devant la porte de l'urgence au Royal Victoria. Le Dr Guerraty était pressé:

— Bougez, bougez.
— Oui, Oui.
— Laissez-moi passer... Merci beaucoup.

Les ambulanciers Luc Leroux et Michel Léveillé lui souhaitèrent bonne chance.

— Merci, vous êtes bien gentils, leur répondit le Dr Guerraty.

Même dans le feu de l'action, le chirurgien était prévenant, poli, agréable.

L'ascenseur attendait. Les médecins et la perfusionniste s'y engouffrèrent avec célérité. Les portes s'ouvrirent et ce fut la course jusqu'au service opératoire avec le précieux organe. La famille de Gilles était là qui regardait tout ce branle-bas; le Dr Guerraty laissa tomber à terre un sac gris assez volumineux. Le cœur d'Huguette manqua un battement. Elle n'en croyait pas ses yeux, mais aperçut à temps la glacière que déposait doucement sur le sol Tom Burdon et se rassura aussi vite. Le cœur de rechange de Gilles était bien traité. Ce fut l'opération déshabillage des uniformes du Children's et la mise des bottes, chapeaux et masques pour pouvoir entrer au service opératoire. Les portes coulissantes s'écartèrent et le cœur de Gilles entra au bloc opératoire.

Le Dr Guerraty arrêta avant la porte de la salle d'opération pour se brosser. Jolène Carbonneau entra dans la salle, se ganta, prépara les bols et solutions et sortit le nouveau cœur de ses deux premiers sacs. Le Dr Guerraty vint la rejoindre. Il coupa le troisième sac et laissa glisser le cœur dans le bol contenant la solution de cardioplégie.

Pendant ce temps, on ôtait le cœur malade du receveur et on l'étalait sur un drap vert plié sur une autre table. Il continua à bouger très imperceptiblement.

L'autre perfusionniste, France Burdon était à son poste. Le «cœur-poumons» mécanique fonctionnait bien. Le Dr Guerraty apporta le cœur du donneur aux trois autres chirurgiens qui attendaient. Et là commença un travail d'équipe qu'envieraient tous ceux qui se piquent d'en faire. L'un cousait, l'autre passait les instruments, le troisième étirait un bout de tissu, le quatrième aspirait le sang et la solution de cardioplégie. Et ils se remplaçaient. Et ils s'entraidaient. Et ils travaillaient religieusement tout en échangeant sur l'opération du donneur. Des demandes fusaient:

— Ciseaux s'il vous plaît.
— Un peu de glace.

Murmures de demandes.

— *Sucker.*
— *Sucker please.*
— *Scissors please.*
— La dissection hépatique a été très très longue et laborieuse, elle nous a beaucoup retardés.
— *This is contaminated.*
— Allez-y, prenez ça.
— *Slush please.*
— Les petits forceps s'il vous plaît.
— La pression du cœur était à 90 sur 80.
— *Scissors please.*
— Il faut rapprocher ça comme il faut.
— Faites attention.
— Allez-y.
— Il faut prendre notre temps ici. Il faut essayer de compenser.
— Nous avons fini l'oreillette droite.
— Comment ça va, France?
— Tout va bien.
— Dans cinq minutes, vous pouvez réchauffer.
— *Slush.*
— Un autre point.
— Forceps.
— Compresses.
— Défibrillateur.
— *Sucker please.*
— 3-0 prolene (fil).
— Plus d'eau s'il vous plaît.
— Petit bout de tubulure s'il vous plaît.
— Des points avec téflon pour réparer ça s'il vous plaît.
— Très délicatement.
— *The EKG is not very good.*
— Un p'tit morceau de feutre s'il vous plaît.

Le cœur du donneur semblait minuscule dans la cavité. Mais il faut comprendre qu'avec le temps, à cause de l'insuffisance cardiaque, l'ancien cœur s'était dilaté et avait agrandi le péricarde. Comme il avait perdu son élasticité, ce dernier ne se recontracterait jamais; alors on devait en enlever un morceau avant de le recoudre.

— *L.A. line* (*Left Atrium Line* ou ligne de pression de l'oreillette gauche).

— Il n'y a pas d'autre diachylon que ça. Le petit rose va mieux que ça.

Snap.

— Un cardiostimulateur temporaire permanent.

Snap.

— Les éponges s'il vous plaît.

— *Sucker.*

On enleva les canules et on mit des drains car il y avait toujours du suintement et il n'était pas bon que le sang s'accumule dans la cavité. S'il y en avait trop, cela empêcherait une bonne dilatation et contraction du cœur. Il fallut donc le drainer. On avait tellement donné d'héparine, cette substance qui empêche le sang de coaguler, que le processus de coagulation normal prit un peu de temps à se rétablir. Même si les lignes de suture étaient belles, on ne voyait pas trop d'où venait le sang. C'est pourquoi on laissait en place les drains. Le nouveau cœur était considéré comme un beau cœur parce qu'il était jeune, sain, n'avait jamais eu de maladie. À cet âge d'ailleurs elles sont extrêmement rares. Son rythme était parfaitement régulier. Et le temps écoulé entre le prélèvement et le remplacement était de deux heures.

— *Slush.*

— *Sucker.*

— On ne manquera pas de souvenirs de jeunesse!

— Suture.

— Arrêt de la pompe s'il vous plaît.

— *Paddles* (défibrillateur).

Un seul coup de défibrillateur et le petit cœur repartit tout de suite, tout à fait à l'aise dans ce nouveau corps. Il battait tout petit et plus rapidement que l'autre dans son grand antre.

— C'est devenu plus facile que de faire un pontage.

Le sourire s'élargit sur tous les visages. Les épaules se détendirent. Une autre victoire de la médecine...

Tout n'était cependant pas terminé. L'anesthésiste démêla ses solutés, les infirmières comptèrent les instruments et compresses, la perfusionniste compléta son registre, les Drs Shenib et Burdon refermèrent le péricarde qu'ils venaient de rétrécir, puis le thorax: rapprochement des deux côtés, du sternum scié, mise en place de fils d'acier pour les juxtapposer, réunion par des pinces, coupure des fils d'acier, pulvérisation d'un antibiotique sur les fils, installation des drains, assèchement du sang, suture de la plaie. C'était fini.

Bien que très heureux, les chirurgiens avaient l'air épuisés. La journée avait été longue. Pour certains, elle faisait suite à une courte nuit. Il était 23 h 13.

Le Dr Morin sortit se rafraîchir un peu et revint dans la salle d'opération examiner le cœur du malade. Il serait envoyé ensuite en pathologie pour que l'on constate qu'il était bien malade. C'est le règlement qui voulait cette procédure mais elle était bien sensée. Le Dr Morin expliqua:

— Ce cœur est cinq fois la grosseur de l'autre. Il est énorme, dilaté par la cardiomyopathie, c'est-à-dire par la maladie de la cellule musculaire responsable de la contraction désorganisée ou anarchique du cœur; les parois sont toutes distendues. On y voit une coloration pâle comparée à du muscle qui est beaucoup plus rouge ordinairement; il y a une cicatrisation; certaines fibres ont perdu leurs caractéristiques normales. C'est un cœur distendu, une masse musculaire tellement relâchée qu'elle a perdu sa force de contraction. Ce patient était donc en insuffisance cardiaque depuis longtemps.

Personne ne disait mot. Tous les regards étaient tournés vers le moniteur. On regardait les chiffres. Finalement le Dr Morin ajouta:

— Ça ne peut pas être mieux; merci beaucoup.

Le Dr Guerraty aussi était très satisfait des résultats. Tout marchait très bien: pas de difficultés techniques, ni avec le donneur ni avec le receveur. Comme il expliqua plus tard à la famille:

— L'opération a été beaucoup plus longue que prévu avec le donneur même si les reins et le foie ont été prélevés en même temps. Mais celle de Monsieur Thibault a été assez rapide. Il récupère très bien maintenant. Il a une très bonne pression artérielle, un bon rythme cardiaque; sa fonction respiratoire est normale. Nous nous attendons à une convalescence sans incident. Nous allons le surveiller de près pour les prochaines vingt-quatre heures. Même si quatre-vingt-cinq pour cent du temps, ça va très très bien, on est toujours inquiet, on est toujours craintif, parce qu'il peut y avoir beaucoup d'imprévus; dans ce cas, une différence de poids entre le donneur et le receveur. Mais le cœur plus petit fonctionne très bien. Les résultats à long terme sont meilleurs quand on utilise de jeunes donneurs.

»On est bien contents pour le malade et pour nous aussi parce qu'on a travaillé fort pour avoir un donneur et pour greffer le cœur. Toute l'équipe est de bonne humeur. C'est grâce à l'effort de beaucoup de personnes que l'on réussit à faire une opération comme celle-là. Et pas seulement les gens que l'on peut voir à la salle d'opération. Mais la coordonnatrice, les infirmières du Children's, qui ont pris soin du donneur, les médecins qui ont aidé à l'opération là-bas, la famille qui a fait un si beau cadeau.

Il alla aider l'infirmière à faire le lit de Gilles. Puis on le transféra dans son lit. Le Dr Guerraty vérifia si les garde-corps étaient levés et il tint la porte pendant qu'on le sortait. Les infirmières Elisabeth Leroux, Susan Sherer et Irene Yau, maintenant qu'elles avaient fini de nettoyer et d'installer le greffé finirent de ranger les instruments et de remettre tout en état pour la prochaine opération. Comme le disait si souvent le Dr Guerraty, c'était un travail d'équipe et chaque membre avait une importance primordiale pour que le travail commun se solde par une réussite.

Le malade fut acheminé vers les portes coulissantes. Huguette et les siens attendaient derrière. Elle eut l'air saisie quand elle vit son mari. C'est qu'il avait la figure toute boursouflée alors qu'elle était si creuse à son entrée à la salle d'opération... Près d'elle se tenaient André et Estelle, Martin, Nicole Leblanc, Gisèle Archambault et Jacqueline Poirier. Ils suivirent en silence jusqu'à la salle de réveil. Au moment où le lit était roulé à travers la porte, un tube s'accrocha et trois à quatre gouttes de sang tombèrent à terre. L'infirmière toujours bottée, les essuya du pied et continua comme si de rien n'était. Huguette arrêta de respirer et s'imagina que le cœur venait de décrocher. Elle en était toute secouée mais se tranquillisa devant le peu d'émoi que semblait soulever l'incident.

Dans la salle de réveil, le lit se trouvait au milieu de la pièce; autour, les solutés, les moniteurs cardiaques, un téléphone, une table blanche, un meuble à tiroirs, un pèse-personne, un tabouret, des rideaux extérieurs, une fenêtre. La pièce était vitrée de haut en bas. Une porte et une fenêtre coulissante permettaient d'y accéder et de passer à l'infirmière de service tous les médicaments, instruments, documents, mets, vêtements, morceaux de lingerie nécessaires. C'était une chambre très fonctionnelle.

L'infirmière devait surveiller son malade de près. Elle était responsable de vérifier les solutés, la pression, le rythme cardiaque. Une ligne était fichée dans l'artère pour pouvoir prendre du sang régulièrement. Le manomètre à pression restait installé au bras de Gilles pour éviter de le déplacer. À toutes les heures, le sang prélevé était passé par la fenêtre coulissante à une autre infirmière qui allait immédiatement le porter au laboratoire. Des électrodes étaient aussi laissées en permanence sur le thorax de Gilles.

Le chirurgien alla dicter son compte rendu pour le dossier du patient:

«Donneur local, 14 ans, temps d'ischémie 1 h 02 mn; *liver, kidney, heart*; 47 kg; 54 kg G.T.; receveur très faible; anergie; mauvais état nutritif; risque d'infection beaucoup plus élevé que chez les autres malades; on va le savoir d'ici quelques jours. Il peut faire un rejet mais comme les anergiques se défendent mal, c'est moins dangereux chez lui. D'autant plus que les tests de compatibilité étaient très bons; il faut prévenir les infections chez lui, donc enlever les cathéters le plus tôt possible, faire beaucoup de physiothérapie respiratoire car il se défend très mal contre les infections. Le cœur se dilatera un peu mais ne grossira pas. Un cœur ordinaire sans vraiment de problèmes.»

Pendant ce temps, le Dr Morin était allé voir Madame Thibault:

— Ça va vous reposer un peu vous aussi.

— Je pense que j'avais bien confiance, hein?

— Comme je le disais à sa sœur, la pression artérielle est bonne; le rythme est bon; c'est très régulier; les pressions de remplissage ne sont pas trop hautes, ce qui est à son avantage; il n'y a pas l'air d'avoir de saignements inhabituels; il n'a pas besoin de beaucoup de médicaments.

— Non?

— Quand il était au 5e, il avait besoin de beaucoup de médicaments pour le supporter.

— J'avais hâte, vraiment, j'avais hâte. Il était temps qu'on trouve un cœur.

— Ça ne pouvait plus attendre beaucoup.

— Je ne pense pas. Surtout après que vous ayez vu l'état du cœur. Je suis bien contente.

— Portez-vous bien Madame.

«Quel homme agréable», pensa Huguette en le voyant s'éloigner. «Gilles a bien raison de dire qu'il est doux et amical, et d'humeur égale, tout comme le Dr Guerraty. On est bien chanceux.»

La famille Thibault s'en retourna à Saint-Hyacinthe pour prendre un peu de repos. À son arrivée à la maison, Huguette entendit la sonnerie du téléphone. Il était 3 heures du matin. Un peu inquiète, elle courut répondre et fut surprise de trouver Lyne au bout du fil:

— Lyne, c'est bon que tu appelles à ce moment. Je viens tout juste de rentrer!

— Ce que tu ne sais pas, maman, c'est que depuis minuit et demi, j'appelle à toutes les cinq minutes... Comment va papa?

— Il va bien. L'opération s'est bien passée et je l'ai laissé à la salle de réveil; une infirmière est à son chevet pour le temps où il devra y rester. Le Dr Guerraty est bien confiant, le Dr Morin aussi et toute l'équipe avait l'air bien satisfaite de son état.

— Bon, alors je te laisse aller te coucher; je suis bien contente. Donne-moi des nouvelles. Bye m'man, je t'embrasse et embrasse papa pour moi.

— Dors bien Lyne, moi aussi je t'embrasse et je ferai ton message.

Le Dr Guerraty passa la nuit à l'Hôpital Royal Victoria, se couchant pour quelques heures seulement sur une civière à côté de la salle de réveil. Au petit matin, il entra voir Gilles et demanda avant de s'en approcher à l'infirmière:

— Est-ce qu'il a soif?

— Non.

— Pouvez-vous lui donner un peu de glace en croquettes, ça réveille un peu. Urine-t-il bien?

— Oui.

— Pouvez-vous me donner des gants et m'attacher, s'il vous plaît, je vais à l'intérieur.

Il venait de mettre sa blouse, ses bottes, son chapeau, son masque. Il enfila ses gants et entra; il s'approcha de Gilles et lui parla doucement:

— Vous êtes bien raide Monsieur Thibault! Ça a très bien été votre affaire. On n'a eu aucun problème technique; le nouveau cœur fonctionne à cent pour cent. On est bien content des résultats nous autres, O.K. Monsieur Thibault? Il y a une chose qui est bien importante maintenant, c'est de prendre de grosses respirations. De garder l'air un tout petit peu dans les poumons et de les vider au maximum. Essayez de tousser et de cracher le plus possible pour nettoyer vos bronches, d'accord?

»La pression mademoiselle, c'est 110 ou 120?

— 110.

Il demanda à l'infirmière d'asseoir Gilles. Et il l'aida tout en tenant la main de son patient pendant ce temps. Une fois son malade assis, le chirurgien l'ausculta et lui demanda de prendre de grandes respirations. Les yeux de Gilles s'écarquillaient à chaque inspiration.

— Respirez fort.

»Encore.

»Respirez fort.

»Plus fort.

»Plus fort.

»Encore.

»Encore.

»... Gilles, avez-vous soif maintenant?

»Est-ce qu'il y a quelque chose qui vous inquiète en ce moment?

— Non.

— Vous avez l'air préoccupé, là!

— Oui.

— Qu'est-ce qui vous inquiète?

— Je veux un verre d'eau.

L'infirmière répéta:

— Verre d'eau.

— On va vous donner un petit peu de glace ou d'eau, mais par petites quantités, là. Mais est-ce qu'il y a quelque chose qui vous préoccupe maintenant?

— Non. Ma femme, est-ce qu'elle est ici?

— Votre femme, elle a passé la nuit ici et elle va revenir aujourd'hui. Voulez-vous lui parler au téléphone... si vous voulez lui dire bonjour? Parce qu'elle a passé la nuit ici, elle était pas mal inquiète, elle.

— Oh é ais moins in è è.

— Qu'est-ce que vous dites?

— J'étais moins in è è.

— Qu'est-ce que vous voulez?

— J'étais moins inquiet qu'elle!

— Vous étiez moins inquiet.

Le Dr Guerraty répèta:

— Ah, vous étiez moins inquiet qu'elle! Une chose qu'il faudrait que vous sachiez, c'est que vous avez eu une très bonne opération et nous, on est très fiers du résultat.

— Pas autant que moi.

— Ah, on est aussi contents que vous. Prenez un petit peu d'eau. Et appelez votre femme à la maison. Vous allez lui parler au téléphone.

— O.K.

— Elle va être bien heureuse de vous entendre parler au téléphone. Alors n'oubliez pas de prendre de grosses respirations et gonflez vos poumons au maximum.

Gilles respira avec difficulté. Le médecin lui conseilla:

— Plus, plus, plus.

»Plus encore.

»Plus, plus, plus que ça.

»Encore.

»Plus, plus, plus.

»Gardez l'air dans vos poumons.»

Puis il se tourna vers l'infirmière:

— Appelez la physiothérapeute pour qu'elle commence ses exercices, s'il vous plaît.

Et il leur lança:

— O.K. Bonjour, on se revoit tantôt.

Le chirurgien était sidéré par ses greffés et leur comportement. Parfois, ils étaient euphoriques, parfois fous de joie; et tous ne semblaient pas souffrir... Il se retourna vers l'infirmière:

— Ça fait sept heures qu'on a fini et ça va bien. Il faut enlever les drains vers la fin de l'après-midi. Poussez les exercices respiratoires parce que c'est un malade qui a très peu de défenses et je ne voudrais pas qu'il s'infecte, alors il faudrait commencer la physiothérapie respiratoire. On va lui enlever ses tubes le plus tôt possible, sa sonde urinaire demain matin.

Gilles ne souffrait pas. Il n'avait presque pas de douleur. D'habitude, après une chirurgie cardiaque avec une excision sternale, les malades ont très peu de douleur. Le thorax est bien stable, de sorte que les opérés du cœur se plaignent très peu; ils n'ont pas besoin de calmants; ils sont très heureux d'avoir eu leur opération et de se faire dire que ça va bien. Ils n'arborent pas une expression de douleur.

Gilles s'était forcé pour répondre à son médecin. Jusqu'alors, il ne faisait oui que de la tête, esquissait péniblement un oui avec la bouche, bougeait le bras pour dire non, s'était frotté le menton et serrait ses doigts sur sa paume.

Un peu plus tard, le Dr Wynands se présenta à la fenêtre et lui montra sa plume. Il l'ôta d'autour de son cou pour que Gilles la voie bien. Un éclair de reconnaissance anima son œil. Il fit «oui» de la tête. Il se rappellait. Il reprenait tranquillement conscience.

Huguette s'était réveillée chez elle à 7 heures et avait tout de suite appelé l'hôpital:

— Bonjour, c'est Madame Thibault, tout va bien? Est-ce qu'il y a des complications?

— Non, y a pas de problème Madame Thibault. Ça va vraiment bien. On n'a aucune complication. Il s'est juste réveillé un tout petit peu ce matin, mais de toute façon il est rendormi.

— À quelle heure prévoyez-vous qu'il va être vraiment réveillé?

— Probablement à l'heure du dîner.

Elle est donc arrivée à l'hôpital à 12 h 30. On lui a dit qu'à 11 h 30, il avait à nouveau donné signe de vie, il s'était réveillé. Parvenue à la chambre, Huguette le regarda à travers la fenêtre coulissante. L'infirmière lui suggéra:

— Pour qu'il vous reconnaisse, Madame, dites-lui quelque chose que vous ne dites qu'à lui, qu'il peut reconnaître.

Huguette avait l'habitude d'appeler Gilles «bonhomme» quand il revenait de travailler. Elle lui dit:

— Salut bonhomme, comment ça va?

Gilles ne pouvait pas parler parce qu'il avait un masque, alors il fit bouger ses mains et ses pieds pour lui laisser savoir qu'il avait entendu, qu'il était content.

L'infirmière suggéra alors à Huguette d'aller au téléphone du bureau situé à l'extérieur de la salle de réveil et que, de son côté, elle mettrait le récepteur de la salle de réveil à l'oreille de Gilles pour qu'il puisse entendre sa voix et lui parler à travers son masque. Et c'est ainsi qu'elle put lui demander des nouvelles et lui dire que Lyne lui faisait dire bonjour et l'embrassait. Un peu plus tard, elle lui a de nouveau dit quelques mots à travers le carreau. Mais ce n'est que le lendemain qu'elle pourrait se brosser et entrer dans la salle de réveil.

Douze heures après son opération, le chirurgien était venu faire asseoir Gilles pour la deuxième fois en lui soutenant le dos de sa main. Puis à 16 h 30, il vint à nouveau après qu'on eut fait la toilette de Gilles pour assister à son lever. On ne lui donna aucune piqûre et aucune pilule antidouleur. Il se leva, fit quelques pas dans la chambre et s'assit sur une chaise. Gilles n'en revenait pas de pouvoir respirer, souffler. C'était pour lui un genre de miracle. Il ne souffrait plus, il respirait, il marchait sans effort. Il était bien. Se pouvait-il qu'il puisse souffler alors que la journée précédente, il ne le pouvait pas?

Il regardait autour de lui avec étonnement, ravissement. Il pensait à ces gens qui disent combien les choses peuvent changer d'une année à l'autre et pour lui, c'était d'une journée à l'autre. Il en était ébahi: hier, il ne pouvait respirer, aujourd'hui, il respirait tout son saoûl. Et il respirait juste pour le plaisir. Mais aussi pour se convaincre que ça marcherait la fois suivante.

Avant son opération, il arrivait de peine et de misère à respirer trois secondes. Et pour réussir à le faire, il devait lever ses épaules, écarter le thorax pour laisser la place à l'air, au cœur; il ne savait plus trop bien comment ça ne fonctionnait pas et toutes les astuces qu'il avait inventées pour y arriver. Il passa la main sur son front. Puis, il retourna dans son lit et s'émerveilla encore de pouvoir enfin se coucher sur le dos. C'était un luxe qu'il ne se permettait plus depuis longtemps. Si longtemps qu'il avait presque oublié la détente que procure le fait de s'étendre sur le dos pour retrouver des forces, se refaire une énergie.

Enfin réussir à se coucher sur un lit sans étouffer. Le Dr Anne Ouellet le lui avait bien dit cinq minutes après le début de la consultation: «Votre cœur ne bat pas, il ballotte.»

Et là, tout comme avant, bien avant, il battait...

Le Dr Guerraty retourna voir son malade au bout d'une heure:

— Vous avez de la difficulté à avaler la pilule, laissez-la fondre dans votre bouche; à cause du tube que vous avez eu dans la gorge, ça va être difficile un peu d'avaler. Continuez à faire vos respirations.

Gilles fit ses exercices respiratoires puis s'endormit pour quelques heures. À son réveil, il dit à l'infirmière d'une voix un peu plus assurée:

— J'espère que je n'ai pas dit de bêtises?
— Pourquoi dites-vous ça?
— Parce que des fois quand on est endormi...
— Non, vous ne faisiez que dormir.
— Ah! mon Dieu!
— Vous avez une intraveineuse qui est en train de se bloquer.

— Ah oui...
— Si on ne réussit pas à la faire fonctionner, il va falloir en faire une autre.
— Est-ce que je peux avoir de la visite?
— Ils vont pouvoir rentrer dans la chambre demain. Aujourd'hui, c'est mieux de ne pas.
— Je ne peux rien manger?
— On peut les laisser vous parler au téléphone encore si vous voulez.
— Oui.
— Attendez un petit peu, je vais leur dire.
— Vous êtes bien gentille.

L'infirmière s'en alla à la fenêtre coulissante parler à Huguette qui était avec Martin. Elle était resplendissante. Martin était très heureux.

— On va faire comme ce matin. Allez au téléphone là-bas, mais donnez-moi cinq minutes avant pour installer mes pansements. Il faudra parler fort car la ventilation fait beaucoup de bruit.
— Bonjour bonhomme, salut! Tu es content?
— Je ne t'ai pas dérangée cette nuit?
— Non, tu ne nous a pas dérangés, certain. Tu n'as pas fait grand bruit. Pas du tout.

Martin ajouta:

— T'as bien dormi? Moi, j'étais content p'pa. Lâche pas. O.K. Reste fort. Et lâche pas O.K. Ça s'en vient ton affaire.

Huguette, tout enjouée, reprit:

— Aïe, tu es mieux que hier, ça a pas de bon sens si c'est le fun. Je suis fière. On te laisse te reposer et on reviendra tantôt.

Son frère l'appella à son tour:

— Lâche pas Ti-Gilles. On t'attend. Ça va bien. Ça va numéro un? Tu te sens bien, Ti-Gilles?
— Oui.
— Ça respire-tu mieux?

— Pas mal.
— Tu vas être vite sur pied. On t'attend. Lâche pas et fais ça vite. Repose-toi comme il faut.

Les appels terminés, l'infirmière annonça à Gilles:

— Il va falloir vous réveiller cette nuit, mais vous réussirez à dormir entre temps.
— Ça ne me dérange pas.
— Il va falloir vous retourner et vous devrez faire des exercices respiratoires.
— C'est un léger détail.
— Vous allez peut-être nous haïr pour ce léger détail.
— Absolument pas.

Et elle le prévint:

— Ça va vous faire mal quand ils vont enlever ça.
— Non.
— Dites-moi pas non, c'est pas vrai; ça va vous faire mal.
— C'est ça, je vais l'endurer.
— Je vous donnerai quelque chose pour que ça ne vous fasse pas trop mal. Car il faut quand même faire vos exercices.
»Ça vous fait mal ici, où je mets mon doigt?
— Non.

Le Dr Guerraty revint faire son tour:

— Monsieur Thibault, il faut respirer bien profondément même si vous êtes fatigué. Aidez-vous avec ça pour les prochaines vingt-quatre, quarante-huit heures. Après ça, vous pourrez vous reposer bien tranquillement. Vous savez, ça fait même pas vingt-quatre heures que vous avez été opéré...
— Ça ne fait rien, je vais le faire.
— Alors aidez-nous, faites votre possible pour collaborer.
— Je vais faire mon cent cinquante pour cent pour le faire.
— On vous libère des tubes, O.K.?
— Je vais essayer de ne pas crier.
— J'en ai fait sauter un déjà.
— Hè?

Cliquetis des ciseaux. Le Dr Guerraty dit:

— Ça, ça va faire mal un petit peu, mais je m'excuse, on n'a pas le choix.
— Oui, mais il fait noir!
— O.K., c'est fini là, c'est fini.

L'infirmière lui conseilla:

— Prenez une grande respiration, c'est tout fini là. Ça n'a pas été si mal?

Hochement de tête de Gilles.

— On va enlever un autre diachylon.

Le Dr Guerraty lui annonça:

— Monsieur Thibault, dès que vous allez vous sentir capable de boire, on va vous donner de l'Ensure.
— D'accord.
— Le voulez-vous froid ou à la température de la pièce? lui demanda l'infirmière.
— Un petit peu plus froid.
— Allez-y doucement avec ça, reprit le médecin. Il faut qu'on soit capable de vous nourrir nous autres. Parce que ça fait longtemps que vous n'avez pas mangé comme il faut.
— O.K.
— Je vais vous voir plus tard. Bonjour.
— Merci Doc.
— Vous pouvez faire les exercices que la physiothérapeute vous a fait pratiquer tantôt, mais allez-y doucement. Comme vous avez moins de tubes que vous en aviez tout à l'heure, il ne devrait pas y avoir de problème.

Un peu plus tard, Gilles se rendit compte qu'il y avait du va-et-vient dans la salle des soins intensifs.

— Il y a toujours beaucoup de monde ici. Ceux que vous voyez, ce sont les cardiaques qui ont eu un pontage, ont été opérés aujourd'hui. Les greffés, on en fait juste un à la fois. Jusqu'à 10 heures ce soir, vous allez voir beaucoup de gens dans la salle qui vont se promener.

Gilles s'éclaircit la voix enrouée par des sécrétions.

— Je vous achale peut-être trop en vous parlant comme ça?

— Bien non, vous êtes mon seul patient.

— Ouais?

— Bien oui.

— Bien mon Dieu, je suis privilégié.

— Ça dépend sur quel point... Hè hè.

Elle lui donna un médicament.

— C'est du sirop Lambert ça?

— C'est pas du sirop Lambert que je vous ai donné.

— Je suis bien contente, dit Huguette qui venait d'arriver à la fenêtre coulissante.

— Qu'est-ce que c'est? C'est pas du sirop Lambert ça. Ah!

— Ça a l'air bon en tout cas, reprit Huguette.

— Bien là, je sais pas si elle me le donne ou me l'ôte, mais elle m'a dit que je dormirais après. Trois quarts d'heure, c'est pas trop long...

— On est bien contents de toi Ti-Gilles, ajouta son frère par la fenêtre.

— À tout à l'heure, dirent-ils l'un après l'autre.

Et Gilles s'endormit en moins de deux, sous l'effet du faux sirop Lambert.

Gilles, qui ne parlait que de bouffe tout le temps de son hospitalisation, n'avait pas vraiment faim le lendemain de son opération. Aussi, fidèle à une pratique assez nouvelle puisqu'elle ne datait que d'environ un an, le chirurgien demanda-t-il à Huguette d'apporter un mets que son mari aimait et mangeait avec plaisir, afin qu'il reprenne goût à l'alimentation, lui qui n'avait vécu que d'Ensure pendant les quelques semaines avant l'opération et ne voulait que manger des céréales.

Huguette lui fit donc son macaroni à la viande dont il était si friand et le lui apporta le mercredi. Elle se trouvait un peu embêtée de choisir car il fallait tenir compe de différents facteurs. Le plat en question devait pouvoir se conserver pendant le trajet de Saint-Hyacinthe à Montréal, et bien se réchauffer au four à micro-ondes de l'hôpital. Bien que Gilles eût pris un bon déjeuner ce mercredi et que le macaroni de Huguette fut assez copieux, dès son arrivée à 11 h 30, il mangea avec appétit ce plat qui lui était familier. Et à 12 h 30, quand son dîner de l'hôpital arriva, il l'engloutit. L'infirmière constata avec plaisir qu'il avait retrouvé son goût.

Il avala aussi avec délectation le steak frites qu'on lui servit comme souper.

Le personnel de l'hôpital n'en revenait pas de voir combien Gilles avait faim, avait faim, avait faim. Ce jour-là, il avait dévoré cinq repas! Le surlendemain, son frère Roger de La Présentation lui apporta une belle truite qu'il avait fait cuire sur charbon de bois. Elle était étalée dans une assiette oblongue et couronnée de légumes frais, d'un monceau de légumes. Une assiette vraiment pleine et colorée. Très joliment apprêtée, elle aurait mis l'eau à la bouche du plus endurci des jeûneurs.

Régulièrement, ses amis et les membres de sa famille lui apportaient des douceurs, du sucre à la crème, des petits plats mitonnés. André lui prépara des filets de veau exquis, une assiette débordante, bien présentée et des plus appétissantes. Mais l'appétit était bien revenu, et Gilles mangeait de grand cœur ses repas d'hôpital et ceux qu'on lui apportait. Au grand plaisir du personnel hospitalier et de son chirurgien. Aussi son séjour à la salle de réveil tira-t-il vite à sa fin.

Après son transfert au 8e, l'infirmière Suzanne Clermont s'assit avec Huguette pour lui donner quelques précisions sur les médicaments à prendre par son mari.

— Tous les médicaments prescrits sont consignés ici, lui montra-t-elle sur un formulaire. «Cyclosporine, Prednisone, Lasix, Mycostatin et Codéine. Ça a très bien été depuis le début. Ils ont donné un autre médicament à votre mari pour le supporter car ils voulaient un pouls en haut de 100 en tout temps. Pas de complications. Juste une petite dose de médicament pour soutenir son débit urinaire. Son niveau de cyclosporine a été fait ce matin à huit heures. Donc, cyclosporine et prednisone, lasix, mycostatin et codéine.

Se tournant vers Gilles, l'infirmière lui demanda:

— Tu n'es pas anxieux, hein, Monsieur Thibault? Le plus gros est passé là.

Il fit signe que oui. Se tournant vers Huguette:

— Il mange très bien, a un bon appétit, son abdomen est un petit peu tendu parce qu'il n'a pas encore éliminé. À part ça, tout est parfait; il va vraiment, vraiment bien.

— O.K.

— C'est tout. Terminé. On vous dit un beau bonjour, Monsieur Thibault. Je ne t'embrasserai pas parce que je vais te donner plein de microbes.

— Merci à toutes les infirmières en bas.

— Fais attention à toi.

— Merci, répondit-il la voix chevrotante.

— Ça va te faire du bien. Tu vas pouvoir voir le soleil dehors, dormir la nuit. Plus d'infirmières qui te dérangent à tout bout de champ.

— Je vous remercie, lui dit-il en pleurant.

— Dans une couple de semaines, tu vas reprendre ta vie normale.

— Je vous oublierai pas, fit-il la voix entrecoupée de larmes. Je vous remercie.

— Officiel, officiel! On va te voir l'année prochaine à la cabane à sucre. On les oublie jamais nos *transplants*, lui répondit-elle affectueusement, le revers de sa main gantée reposant sur le cou de Gilles.

— Vous avez été bien gentille.

— Tu vas prendre soin de lui, Madame Thibault?

— Ah oui, ah oui, répondit Huguette, fort attendrie.

— Merci beaucoup, reprit Gilles, en étouffant des sanglots.

— Ça va tout sortir ça, Monsieur Thibault, et ça va vous faire du bien.

— J'espère.

— Officiel. Prends soin de toi.

— Merci.

— Bonjour, dit Huguette.

Puis à son mari:

— Tu peux pas dire que t'as pas eu du bon service?
— Gilles avait de la peine de voir partir son infirmière de la salle de réveil. Elle avait été avec lui si souvent depuis la greffe... L'infirmière du 8e cardiaque entra le saluer et lui dit:

— Bonjour, je suis votre infirmière jusqu'à 19 h 30 ce soir.
— Merci beaucoup.
— C'est votre femme qui est ici?
— Oui, Huguette.

Huguette dit alors:

— On vient le voir souvent. Je suis souvent là.
— O.K. C'est très bien. Je reviens bientôt.
— Merci beaucoup.
— Es-tu content? lui demande Huguette. Oui, hein?
— Oui, fit-il de la tête.
— C'est difficile de tout exprimer ça en même temps, hein?
— T'aimes des infirmières. Et là, elles s'en vont ou tu changes de place.
— Qu'est-ce que tu veux...
— Ça a bien été, hein?
— Oui, ça a bien été.
— Tu as bien dormi?
— Oui. Je ne pensais pas monter si vite en haut.
— Non, hein?
— Bien non. Quand le Dr Guerraty me l'a annonçé, il m'a dit: «J'ai regardé vos feuilles vertes et tout allait bien, alors à deux heures, vous allez monter au 8e.»
— C'est «le fun», hein?
— Je pensais monter seulement demain... mais quand il a vu les résultats...

Pause.

»Mardi soir, j'étais un petit peu anxieux, mais le restant du temps...

Pause.

»Comme hier, ça a très bien dormi. À six heures ce matin, je me suis assis dans la chaise pour deux heures; j'ai fait des exercices. Ça a très bien été. J'ai mangé six repas pour me contenter et, hier soir, j'ai pris deux cannettes d'Ensure. À mon arrivée dans la chambre, je pesais 116 livres (53 kilos) et ce matin 128 livres (58 kilos)...

Pause.

»En une semaine c'est pas mal.

Pause.

»Je n'ai aucune douleur, sauf quand je tousse. Je ne comprends pas qu'après une opération comme celle-là, je puisse me relever après un laps de temps si court. Franchement...

»Avant, je ne pouvais rester couché sur un côté ou l'autre ou sur le dos. Là, je peux rester couché. Quand je mange, je ne suis pas essoufflé. Hier, j'ai pris du macaroni à la viande, un sandwich, une salade, un steak frites, de la lasagne, un très bon déjeuner avec deux sortes de céréales, un pamplemousse, un grand grand verre de lait. Une cannette d'Ensure après le déjeuner et une autre avant le dîner... Aussi, le champagne, ce sera sinon ce dimanche du moins l'autre. On va avoir un gros party.

Pause.

»J'ai vu 400 kilomètres (249 milles) sur le vélo, il faut que j'en fasse autant.

De mardi à mercredi, Gilles n'avait pas beaucoup dormi et se sentait paresseux. Le Dr Guerraty dit à Huguette d'aller le «brasser» parce qu'il avait assez dormi.

Gilles disait: «Je suis *assez bien* couché. Il me semble que je peux respirer».

Il n'avait donc même pas le goût de se lever.

La jeune physiothérapeute, Randa Naamani, arriva pour faire faire des exercices à Gilles:

— Un, deux, trois, quatre, cinq, six, sept. Il faut prendre une grande respiration.

Pause.

»Un, deux, trois, quatre, cinq, six, sept, huit, neuf et dix. Parfait.

Gilles, vêtu d'un pyjama gris strié de blanc, toujours branché à son sérum, lève les bras vers le haut, les joint au-dessus de sa tête, les allonge à la hauteur des épaules, fait dix rotations, vers l'avant, vers l'arrière.

(Ce jour-là, il faisait seize degrés au numéro un de l'information, comme venait de l'annoncer la radio.)

»En arrière, de un à dix, reprit la physio.

— Hier soir, j'ai fait 10 minutes de bicyclette.

— J'allais vous demander de le faire encore ce soir parce qu'on va augmenter à 15 minutes demain.

— Quand je l'ai fait hier soir, ma tension était moins rapide après que j'aie eu fini. J'ai commencé à 97 et fini à 94.

Gilles était fier de lui.

— Attention quand vous tournez la tête de ne pas tourner le tronc.

»Est-ce que je peux prendre votre pression avant que vous commenciez la bicyclette?

— Je vais m'asseoir sur le bord du lit.

— Non, je préfère que vous vous couchiez.

Une fois la pression prise, elle lui donna les directives à suivre pour la fin de semaine:

»Les exercices avec les poids, le pouce en bas, tournez, pliez le coude, étendez, descendez, tournez, tournez bien. Très bien. Oui. Les bras ne sont pas fatigués après cet exercice?

»Les muscles vont devenir plus forts et plus raides, alors il faut faire des exercices d'assouplissement au mur.

Puis, Gilles se dirigea vers la bicyclette ergométrique et pédala pendant quinze minutes. Il se trouvait bien dans son nouveau local. Une belle chambre blanche éclairée de deux grandes fenêtres, un fauteuil en cuirette bleue pour pouvoir le désinfecter, un interphone, une commode à trois tiroirs en bois verni, un moniteur rétractable fixé au mur et une bicyclette d'exercice toute neuve. Il ne semblait pas essoufflé malgré tous les exercices, ses jambes n'étaient pas fatiguées. Mais il avait encore le teint un peu gris. On voyait cependant que la récupération ne serait pas longue. Il avait déjà un petit air moqueur quand il parlait à la physiothérapeute.

Et la convalescence suivit son cours. Son régime, Gilles s'y astreignit à la lettre, mais il ne pouvait s'empêcher de jouer des tours... il adorait mystifier la physiothérapeute. Comme elle avait l'habitude de lui annoncer la veille le programme du lendemain, il pratiquait en cachette (ce qui était facile puisqu'il était seul dans sa chambre) les exercices du lendemain. La physiothérapeute en perdait son latin.

Il avait commencé les exercices dès son arrivée au 8e. Le jour même, il avait fait de la bicyclette pour être bon lors de sa première fois le lendemain; même chose pour l'escalier. La physiothérapeute avait dit: «Demain, on pratique la montée de l'escalier». Gilles avait passé un bon moment ce jour-là à monter et à descendre du petit tabouret, placé à côté de son lit pour l'aider à y monter. Il monta et recula à vingt reprises pour réhabituer sa jambe gauche au mouvement et recommença avec la jambe droite.

Aussi, le lendemain avait-il pu descendre l'escalier jusqu'en bas et le remonter sans s'arrêter. La physiothérapeute n'en revenait pas et s'extasiait sur sa bonne forme.

Il s'était fait un programme d'activités pour la journée. De telle heure à telle heure, gymnastique; de telle heure à telle heure, bicyclette; de telle heure à telle heure, toilette, et ainsi de suite. La fin de la journée arrivait trop tôt.

Tout se passait à merveille. Il y eut bien une petite alerte le 27 mai: Gilles montrait des signes de rejet. La médication fut augmentée et tout rentra dans l'ordre. Ses forces revenaient tranquillement. Il avait hâte de retourner chez lui.

Au bout de trois semaines, soit le 2 juin 1986, un bon matin, son chirurgien vint le voir:

— Monsieur Thibault, ça fait trois semaines que vous avez été opéré. Il y a encore un risque de rejet. Pour diagnostiquer le rejet, on fait des biopsies une fois par semaine. Vous en avez déjà eu une en même temps que votre cathétérisme. Si vous vous rappelez bien, il s'agit de rentrer une petite pince dans le ventricule droit à travers la veine jugulaire interne droite pour aller chercher trois petits morceaux de muscle. On les fait ensuite analyser au microscope. C'est la méthode la plus fiable qu'on avait découverte à ce jour pour diagnostiquer le rejet, la plus sensible aussi. Les échantillons de myocarde vont en pathologie pour un examen. Les autres méthodes non effractives sont moins sensibles et moins fiables.

Le Dr Guerraty ne prenait pas de chances avec ses malades et préférait expliquer en détail, au risque de paraître radoter, afin qu'ils sachent à quoi s'en tenir sur l'examen qui aurait lieu.

— Vous n'avez aucun signe de rejet actuellement. Vous en avez eu il y a une semaine et nous l'avons traité. Nous contrôlons ce traitement maintenant avec la biopsie. Si elle est normale, vous pourrez rentrer à la maison. Vous reviendrez à la clinique externe ensuite pour cette surveillance.

»Comme le risque de rejet est plus élevé au début, on fait une biopsie par semaine. Lorsqu'il diminue, on espace les biopsies. Alors, je vous revois à la salle de biopsie.»

Gilles fut conduit à la salle d'opération où se trouvait déjà le chirurgien.

— Monsieur Thibault, je vais vous couvrir la figure un tout petit peu. On fait ce prélèvement sous surveillance électrocardiographique. On a un moniteur pour surveiller le rythme cardiaque parce que, parfois, il peut se produire des arythmies. Puis, par fluoroscopie, on regarde la position de la pince à l'intérieur du cœur pour ne pas toucher d'autres structures, car ce pourrait être dangereux.

»On prend deux ou trois morceaux parce que parfois le rejet est multifocal, c'est-à-dire qu'il se produit à plusieurs endroits. Une partie du cœur peut être en rejet et l'autre normale. Alors en prenant les morceaux à plusieurs endroits, on augmente les chances de diagnostiquer le rejet s'il y en a un.

»Vous sentirez un petit peu la piqûre. Levez la tête. Ça va faire mal un peu. Si ça fait mal, dites-le et j'arrête. On insère d'abord une gaine en plastique et c'est par celle-ci qu'on entre le bioptome. Voici la pince à biopsie. Elle est munie de petites machoires à la pointe.

»Baissez la tête. Reposez-vous maintenant.
»Mademoiselle, veuillez surveiller l'ECG, s'il vous plaît.
»Monsieur Thibault, ça c'est le petit morceau de muscle.
»Fluoroscopie.

Bip, bip, bip, bip.

»Vous voyez comment les mâchoires travaillent.

»Fluoroscopie.

Bip, bip, bip, bip.

»C'est fini, Monsieur Thibault.

Gilles n'avait ressenti qu'une pression quand il avait entré la gaine de plastique puis, plus rien. Cet examen n'était aucunement souffrant pour lui. À vrai dire, après l'opération, il n'y avait rien qui pouvait l'abattre. Il se sentait cinquante fois mieux qu'avant. Sa forme le surprenait. Pas d'essoufflement. Un cœur qui battait normalement. Ça faisait très longtemps qu'il ne s'était senti aussi bien. Au moins cinq ans. Encouragé par ce que venait de lui dire son chirurgien sur la possibilité de son départ, Gilles planifia de façon encore plus sérieuse son premier repas à la maison, le festin avec ses amis. Il était sûr que la biopsie était bonne et ne fut pas surpris du rapport de son chirurgien vers 17 heures le même jour.

— Monsieur Thibault, j'ai examiné votre biopsie avec le Dr Robert Forbes qui est pathologiste. Il y a une amélioration très importante du rejet qu'on avait observé il y a six jours.

Alors nous pouvons vous donner votre congé. Vous reviendrez à la clinique externe deux fois par semaine pour un contrôle. Nous allons continuer à diminuer les médicaments contre le rejet. Et je pense que vous aurez une évolution normale maintenant sans aucun incident. Vous continuerez la physiothérapie de réadaptation chez vous.

— Dois-je porter un masque?

— Seulement quand vous viendrez à l'hôpital, pour éviter l'infection par d'autres patients.

Gilles n'avait aucune restriction. Il pouvait essayer de faire autant d'exercices de physiothérapie qu'il pouvait tolérer. Naturellement, un opéré de trois semaines se fatiguerait plus vite qu'un autre mais il devait pouvoir reprendre des forces. Au bout de six à huit semaines, le Dr Guerraty estimait qu'il devrait être capable de faire tous les exercices sans aucune limitation.

Ses visites bihebdomadaires à la clinique pour contrôle impliquaient une biopsie par semaine pendant deux mois. Après le trosième mois, comme le risque de rejet diminuait de façon significative, il allait pouvoir venir moins souvent. À long terme, il devrait faire une visite à toutes les six semaines et avoir une biopsie à tous les trois ou quatre mois. Quatre-vingt pour cent des greffés vivent un an après la greffe; environ soixante-cinq à soixante-dix, pendant cinq ans avec une excellente qualité de vie. Il pourrait travailler, faire du sport et jouir de la vie comme les autres patients. L'hypertension artérielle et la dysfonction rénale étaient deux des complications possibles de la greffe. Il faudrait surveiller ça.

Le Dr Guerraty avait dit que son congé était signé pour midi le lendemain. Gilles était fou de joie. Il s'y attendait mais savait qu'il n'était pas le patron, que c'était le médecin qui décidait. Ce dernier lui avait dit que tout était bon, tout était sous contrôle. Sa prescription immédiate était pour Gilles de sortir dehors, d'aller au soleil, de marcher, de faire ses exercices. Il se sentait en pleine forme. Hospitalisé au Royal Vic le 10 avril, il était bien heureux d'apprendre le 2 juin 1986 qu'il était enfin sorti de l'ornière.

Il avait fait préparer pour sa famille et l'équipe de Radio-Canada par l'entremise d'Huguette un festin au filet mignon et au champagne. Et c'était demain le grand jour.

Et dire qu'au début, il n'était pas pour les transplantations. Il n'en avait jamais entendu parler et ne connaissait pas ça. La première qui lui en avait parlé était le Dr Anne Ouellet de Pierre-Boucher. Il lui en était maintenant immensément reconnaissant. À ce moment-là, il était au bout de son souffle, se rappelait-il. Son plus précieux souvenir de tous ces événements demeurait son réveil à la salle de réanimation alors qu'il avait pu parler sans être essoufflé. Juste d'y penser, les larmes lui venaient aux yeux. Dès qu'il y songeait, il ne pouvait s'empêcher d'être terriblement ému. Il se reprenait bien vite en se disant avec fatalité: «Quand on est venu au monde braillard...»

Il avait bien hâte à son départ le lendemain. Sa femme, son frère André et Estelle, de Drummondville venaient le chercher.

À son retour à sa chambre, Jean Rémillard, le réalisateur de Radio-Canada, était auprès de lui (comme il l'avait été une bonne partie de son séjour au Royal Vic pour filmer ce tour de force de la médecine: la transplantation d'un cœur):

— Monsieur Thibault, on vous remercie beaucoup de nous avoir permis d'être présents. Ça nous a beaucoup aidé, et je pense que ça va aider tout le monde que ça intéresse de voir ce qu'est une greffe cardiaque. En fait, on vous remercie pour ce cadeau-là. Ça nous a beaucoup touchés.

— Si ça vous a donné un coup de main, moi, ça m'a fait plaisir.

— Oh, ça nous a donné un sérieux coup de main, je pense qu'on a pu faire une émission qui reflète assez bien ce qu'est une greffe. C'est spécial, je pense, d'avoir donné votre accord là-dessus et d'avoir consenti à ce qu'on soit là aussi souvent, à ce qu'on aille dans la salle d'opération. On vous en remercie «bien gros». On va encore être là pour vous voir sortir de l'hôpital et on ira à quelques reprises vous regarder prendre de plus en plus de forces. Dans trois semaines, un mois, on ira vous filmer, soit pratiquant un sport, soit allant à la pêche.

— Le 22 juin, j'ai été invité pour une partie de balle père-fils. J'ai demandé au Dr Guerraty et il m'a dit d'y aller mais de ne pas courir.

— Le 22 juin?

— Oui, c'est une réunion familiale, on joue père-fils. Et je pense bien être capable d'y être.

— Bien oui, ce serait «le fun» de vous voir là.

— Il m'a dit que la natation, c'était pour tout de suite. Je peux aller à la piscine et marcher à l'extérieur: «Pas tout seul au début, a-t-il précisé, mais les deux premières journées, vous pouvez aller vous promener avec votre fils jusqu'au coin de la rue et revenir. Il n'y a pas de problèmes.

»À toutes les douze heures, je dois prendre deux pilules: la cyclosporine et la prednisone.

— C'est une belle aventure qui se termine bien. Nous, on était inquiets pour vous, vous savez, quand on a commencé le tournage. Les filles étaient plus inquiètes que moi, la script et la recherchiste, mais... eh... les gens étaient assez inquiets. Le Dr Guerraty était inquiet aussi. On trouve...

— J'étais malcommode!

— Vous étiez malcommode?

— Mais il me semble!

— Vous étiez pas trop trop malcommode je trouve, vous étiez surtout très malade.

— Oui.

— Puis tout le monde était inquiet pour vous et ça se finit drôlement bien parce qu'on vous a vu dans des états pas mal pires que ça. Même que ça n'a rien à voir...

Gilles faisait plaisir à regarder. Assis dans son fauteuil bleu, les deux pieds allongés sur une chaise droite, il avait un petit sourire en coin qui s'élargissait selon ses pensées. Vêtu d'une robe de chambre blanche, rayée de vert émeraude, rouge, bleu marine et bleu royal, il avait l'air tout à fait heureux. Il semblait moins malade, moins convalescent. Par moments, il était radieux. Même les larmes qui venaient à ses yeux selon le fil de ses idées n'arrivaient pas à assombrir sa figure. Il les essuyaient machinalement, subrepticement, et passait en revue les deux derniers mois. C'était son dernier soir à l'hôpital. Demain, la vraie vie, le festin, champagne, filets mignons, crudités, entrées, petits fours...

Il dormit comme un loir et se réveilla tout guilleret. Huguette lui avait apporté ses pantalons blancs qu'il n'arrivait pas à remplir malgré le poids qu'il avait repris. Une chemise rayée finement de bleu et de blanc contribuait à son air de fraîcheur. Bien que content, il avait toutefois l'air un peu chose, un peu inquiet peut-être. Huguette était arrivée à 9 heures, habillée de jaune, la couleur de la joie. C'était sa couleur préférée. Elle se retrouvait dans ses blouses fleuries, ses vestes rayées, ses bijoux. Aujourd'hui, le 3 juin, elle portait des accessoires et des bijoux jaunes. Complice, le soleil était aussi au rendez-vous.

Pince-sans-rire, à son habitude, le réalisateur de Radio-Canada frappa à la porte, entra dans la chambre et, voyant Gilles, dit:

— Avez-vous vu le madade qui était ici?

— On l'a perdu le malade, répondit Huguette.

— Il est parti, rétorqua Gilles.

— Il s'en va ce matin, le malade, reprit Huguette.

— Il est comme neuf, ajouta André.

Il faisait beau. Tout le monde était souriant et content. Huguette prenait les dernières recommandations de l'infirmière:

— Comme le médecin dit, il n'aura pas tous les symptômes en même temps. À un moment donné, il peut avoir des saignements de nez, des troubles d'estomac, des céphalées, des tremblements; si vous êtes inquiète, appelez le Dr Guerraty. Il peut téléphoner directement au pharmacien pour les médicaments dont vous pourriez avoir besoin.

Elle continua ses recommandations: masque à porter, agrafes à enlever, enfants enrhumés à éviter, grippes, maladies infectieuses à prévenir, médicaments à prendre. Huguette écouta avec attention puis sortit de la chambre pour aller payer son addition pour le parking à l'hôpital. Elle rencontra le Dr Morin à la porte.

— Quand vient Lyne?

— Dans le courant de l'été, au moins trois, quatre jours. J'aime autant qu'il soit bien et qu'elle le voie réengraissé, ça sera mieux.

— Faudrait pas qu'il engraisse trop. Là, il n'est pas si mal. Ça lui fait bien comme ça.

— Vous trouvez? Ça, c'est pas le mari que j'ai marié. Il est bien petit là. Habituellement, il est un peu plus gras.

— Des fois, les gens ont tendance à engraisser un peu. Et ce n'est pas à leur avantage. Il ne faudrait pas qu'ils en prennent trop. Juste un peu.

— Ça va lui faire du bien une quinzaine de livres (7 kilos).

— Mm... mm...

— Je ne pense pas que lui-même veuille trop engraisser... Gilles voudrait organiser un tournoi de golf avec les médecins.

— Bonne idée.

— Vous savez, Dr Morin, on a toujours été positifs dès qu'on l'a su.

— Toute votre attitude, vous, dans la vie est assez positive.

Huguette se mit à rire:

— Oui. Est-ce que ça paraît?

— Oui ça paraît... un peu... oui, dit-il l'air plus que convaincu.

— Bien, au départ, je veux l'être.

— Et lui aussi votre mari d'ailleurs.

— Je pense que c'est un homme assez positif et il n'a jamais dit que ça ne réussirait pas. En dedans de lui, il était sûr de s'en sortir.

— Avant son opération, on considérait les problèmes d'hypertension qu'il avait et ça inquiétait tout le monde. Et après, il ne réagissait pas beaucoup aux substances étrangères. Il faisait de l'anergie. Ça, ça nous a tracassés. C'était des problèmes, mais pas insurmontables et ça valait la peine de continuer parce que ses chances étaient tout de même bonnes.

— Oui.

— Sûrement que maintenant tout le monde est bien heureux qu'on ait réussi.

— Moi, je n'en ai jamais douté.

— Maintenant, il va avoir un bon style de vie, il va être confortable. Il va pouvoir avoir de bonnes activités, avoir du plaisir avec les enfants.

— Surtout, être capable de dormir, de se coucher sur les deux côtés, parce que ça doit faire trois ans qu'il étouffait dans certaines positions.

— Ça ne pouvait pas continuer comme ça.

— Nous, on ne se rend pas compte de ce que ça représente.

— C'est toujours comme ça. Quand on est en bonne santé, qu'on est bien, on ne peut pas penser à ce que ça veut dire d'être insuffisant cardiaque, d'être malade, d'avoir une douleur, c'est difficile à imaginer. C'est pour cette raison que quelqu'un qui est en bonne santé se dit: «À quoi ça sert?» Mais quand on est dedans, c'est là qu'on se rend compte de ce que ça veut dire.

— Oh oui. Vous avez raison. En tout cas, on est bien contents, et on ne sait comment vous remercier toute l'équipe, vous avez été extraordinaires.

»Si vous voulez m'excuser, Dr Morin, je dois aller payer mon compte. Je reviens tout de suite après. À tout de suite.

Pendant qu'Huguette s'éloignait, Gilles sortit dans le corridor pour aller saluer le nouveau greffé, Jean-Claude Lambert qui était dans la chambre à côté. Ce dernier, masqué, ganté et tout habillé de façon stérile est dans l'embrasure de sa porte.

— Salut, comment ça va? demanda Gilles.

— Bien.

Le nouveau regarda l'ancien d'un air envieux:

— Un jeune homme...

— Et toi?

Gilles avait les larmes aux yeux.

— Ça fait une semaine que je suis opéré. A-1! Le bon Dieu est grand. C'est fantastique. Une affaire extraordinaire. C'est impossible. C'est une affaire incroyable. En tout cas, mon Gilles, je te souhaite...

— ... une bonne et heureuse année!

Tout le monde s'esclaffa.

— En tout cas, on va se revoir, sûr, sûr, sûr.
— Ah oui.
— O.K., *bye bye*.
— Merci. Bonne chance!
— Bonne chance!

Le Dr Morin qui était là, dit à Gilles:

— Quand vous serez chez vous, reposez-vous de temps en temps. Tout le monde veut venir faire son petit tour, tout le monde téléphone. Vous savez ce que c'est, alors prenez le temps de vous occuper de vous.

— Je vais prendre le temps.

— Reposez-vous régulièrement, prenez votre temps, organisez-vous un horaire.

— Est-ce que ça vaut seulement pour moi ces recommandations?

— Hein?

— Est-ce que c'est juste pour moi ça, ou si ça devrait aller pour vous autres aussi?

— Ah oui, oui! Mais des fois, il n'est pas trop trop facile à ajuster, l'horaire, comme vous savez... Prenez bien soin de vous, là.

— Oui, je vous promets de faire attention et je vous remercie infiniment, Doc, pour tout ce que vous avez fait pour moi, vous et toute l'équipe de transplantation. Vous avez été si dévoués!

Et il serra avec chaleur les mains du Dr Morin et celles des infirmières présentes. Un homme s'en venait dans le corridor et bouscula Gilles: il était redevenu un homme comme les autres. Finis les petits soins. Huguette le serra contre elle. André lui mit les bras autour des épaules. Huguette avait les larmes aux yeux. Ils se dirigèrent vers l'ascenseur express. À l'entrée de l'hôpital,

André alla chercher sa voiture, une Reliant blanche, reluisante de propreté sous le beau soleil de juin. Gilles s'assit à l'avant. Huguette et Estelle, à l'arrière. Les portières se fermèrent. Dans les vitres de la voiture se reflétait le bel édifice de pierres grises, de style baronial écossais qu'est l'Hôpital Royal Victoria. Gilles recommençait sa vie de tous les jours.

Il n'en revenait pas pendant le trajet de n'avoir aucune douleur sur le côté, de pouvoir respirer à l'aise. La vie était vraiment belle. Le voyage de retour fut rapide et Gilles arriva devant sa maison quittée trois mois auparavant.

Martin en sortit en courant et vint ouvrir la porte à son père. Gilles se déplia et serra son fils dans ses bras. Il l'embrassa à deux reprises.

— Bonjour p'pa.

Sa belle-sœur Thérèse, puis Roger l'embrassèrent.

— Bonjour mon Gilles.

Huguette lui frotta le bras:

— Viens-t'en bonhomme.

Gilles entra chez lui et regarda avec avidité les objets chers. Il commença à faire le tour du propriétaire.

— Il ne se reconnaîtra plus; rester si longtemps dans une chambre d'hôpital, dit Jean-Paul.
— Tu ne donnes pas tes impressions, Gilles?
— Attendez un peu là. Je vais regarder.
— Ça n'a pas changé, hein?
— Je regardais toujours la porte de la chambre d'hôpital, le lit, le châssis, alors quand t'arrives dans la maison chez vous, au moins tu vois quelque chose.

Il regarda les photos de famille.

— C'est juste parce que nous autres, on a mis des décorations et eux, ils ne pouvaient pas en mettre, répondit Huguette.
— Oh! La chambre à Martin...

Gilles regarda le Superman dans la chambre de Martin, ses trophées, ses médailles sur le babillard en liège, ses posters de hockey, son chapeau mexicain.

— Oui, il a fait son ménage, Martin, pour ton retour. Ça n'a pas changé, la maison? Tout est correct?
— Tout est sous contrôle, alors on peut s'asseoir et jaser.
— As-tu tout regardé, là?
— Oui, c'est parfait.
— Gilles, voici le champagne, dit Huguette en ouvrant la porte du frigo.

Gilles en sortit une bouteille. C'était un magnum, un Mumm Cordon rouge qui laissa ses petits frères attendre bien au froid.
— Gilles s'était bien promis de faire sauter le bouchon de champagne en arrivant, fit remarquer Huguette.

Il le tendit à Martin pour ne pas trop forcer son cœur en défaisant le muselet et en amorçant le bouchon, et Martin le lui remit prêt à être ouvert:

— Merci mon grand, lui fit Gilles.

D'un coup de pouce, le «jubilaire» fit sauter le liège. La première coupe, il la tendit à Huguette, son énergie et son courage, et l'embrassa à deux reprises bien tendrement. André versa le champagne dans les autres verres et lui tendit le deuxième en lui disant qu'il devrait y goûter. Martin prit une photo de son père. Gilles ôta son masque pour le toast et quand tous eurent trinqué, il prit sa première gorgée d'un air sérieux. Depuis le temps qu'il y pensait... il la dégusta...

— Toutes ces petites bulles, dit-il en les regardant, c'est de la joie.
— À la santé de tout le monde, aux retrouvailles, proposa Huguette.
— Gilles, donne-nous tes impressions?

Et la conversation devint animée et entrecoupée de blagues. Gilles mangea avec appétit. Il savoura son filet mignon et l'eut vite terminé. Croyant lui faire plaisir, quelqu'un lui en tendit un morceau avec sa propre fourchette. Alors gentiment, mais fermement, Gilles lui dit:

— Je ne peux pas prendre ce morceau. Pourriez-vous m'en faire cuire un autre, s'il vous plaît.

Aussitôt dit, aussitôt fait. Et le festin continua. Tout le monde s'exclama sur le bon repas. On imagina les bonnes pêches qui donneraient lieu à de nouvelles agapes. Quelqu'un plaisanta sur le fait que Gilles ne pouvait pas prendre d'autre champagne et il retorqua:

— On y va dans le blanc, en levant son verre de lait!

Huguette regarda le plaisantin d'un air réprobateur. Le boulanger arriva au beau milieu des festivités.

— Bonjour, comment ça va, Monsieur Thibault?

Tout le monde de sa région avait appris qu'il avait eu une transplantation cardiaque. Et ça avait été la surprise. Comme les Thibault allaient en Floride pour les vacances de Noël, ceux qui n'avaient pas vu Gilles depuis un moment croyaient qu'il y était resté, tout bonnement. D'ailleurs, les gens préfèrent ne pas déduire de ce qu'ils voient ou ne voient pas.

Malgré l'amaigrissement de Gilles, s'il ne disait pas qu'il était malade, les gens le croyaient bien. L'avant-veille de son entrée à Pierre-Boucher, il était allé voir jouer les Lauréats de Saint-Hyacinthe avec son ami Gélas Lajoie. Il n'avait soufflé mot de sa maladie et ce dernier ne s'était aperçu de rien, pas plus que ses grands amis Gaston Gilbert et Jean-Yves Proulx, le gardien de la prison. On le trouvait un peu étiré et c'était tout.

Le boulanger avait l'air bien content de revoir son client en si bonne forme, car lui, il était au courant de la greffe.

Huguette regardait son mari avec fierté. Il était sauvé. Ils l'avaient sauvé. Les médecins, sa famille, son fils, sa fille, elle. C'était un travail d'équipe. Une équipe qui était loin d'être complète autour de la table. Les médecins n'étaient pas là. Ils travaillaient à leurs hôpitaux respectifs. On n'avait pas invité tout le monde parce que Gilles aurait été trop fatigué. Lyne était à Vancouver. Mais l'animation qui régnait était déjà beaucoup pour un malade qui sortait d'un isolement d'à peu près trois mois dans une chambre d'hôpital. Malgré ses nombreuses visites (on ne pouvait parler trop fort dans un hôpital, rire à gorge déployée, faire trop de bruit), il n'avait pas fêté comme ça depuis longtemps.

Les invités bien repus et rassurés sur l'état du malade prirent congé de Gilles. Et il entreprit sa vie de greffé.

Tous les jours, il sortait marcher avec son fils, faisait de la natation, exécutait ses exercices. Il pouvait lire car le sang irriguait maintenant son cerveau, revoir ses amis, aller jouer aux cartes, recommencer tranquillement ses activités. Il devait aussi prendre quotidiennement sa température, sa pression, son pouls et son poids, les noter et les remettre au chirurgien à sa prochaine visite car il devait se présenter à l'hôpital, à la clinique des greffés, pour ses biopsies, ses examens de contrôle.

Le 15 juillet 1986, Gilles devait subir une épreuve d'effort, précédée d'une biopsie pour vérifier l'état de son cœur et de sa fonction cardiorespiratoire.

Mais la semaine précédente, il se rendit à la clinique des greffés où l'attendait le Dr Guerraty. Avant de le voir, on lui fit passer un électrocardiogramme et une radiographie des poumons. Puis il entra au bureau du médecin:

— Bonjour Monsieur Thibault, comment ça va?
— Ça va bien. C'est la première fois que je viens en voiture à Montréal tout seul.

Le Dr Guerraty fit un signe d'appréciation.

— Qu'est-ce qu'il y a de nouveau depuis qu'on s'est vus lundi?
— Hier, j'ai fait soixante minutes d'exercices.
— Êtes-vous essoufflé après avoir fait les exercices?
— Pas du tout, pas du tout, pas du tout.
— Avez-vous des douleurs dans le thorax?

— Ça a tiré un peu vers le haut hier. En m'étirant pour aller chercher quelque chose, j'ai ressenti un peu de douleur après.

— Dormez-vous pendant la journée?

— Hier avant-midi, j'ai dormi une heure et hier après-midi, je me suis étendu pour regarder la télé un peu, mais je n'ai pas dormi.

— Vous dormez bien la nuit?

— Très très bien.

— Vous gagnez du poids?

— Oui.

— Vous commencez à faire la popote?

— Oui.

— Je vais prendre votre pression... C'est beau, elle est de 120 sur 90.

Palpation, examen des chevilles, auscultation:

— Respirez fort avec la bouche ouverte.

»Encore.

»Couchez-vous.

»Respirez fort...

»Encore.

»Vous avez un peu d'enflure aux chevilles, mais ça va se passer; ne soyez pas du tout inquiet à cause de ça. Le rayon X des poumons est normal. L'électrocardiogramme est normal.

"Monsieur Thibault, ça va très bien. Je veux vous revoir lundi. Il y aura une biopsie de contrôle et une épreuve d'effort. Continuez à faire vos exercices à la maison et prenez les mêmes médicaments que vous prenez maintenant. Peut-être que lundi, on va diminuer la dose de cyclosporine si la biopsie est normale.

— Pouvez-vous renouveler ma prescription de cyclosporine et me dire où je peux me la procurer?

— C'est en bas ici à l'hôpital qu'on vous la donne.

»Comment calculez-vous votre âge maintenant que vous avez un cœur jeune?

— On additionne mon âge et celui du donneur et on divise par deux.

— C'est ça, acquiesça le médecin en riant.

— Merci docteur.

Le Dr Guerraty était bien content de son malade. Triste, déprimé, essoufflé deux mois auparavant, il était devenu souriant, taquin et heureux de la vie. Il avait envie de faire du sport, de la popote, de manger. S'il n'avait pas de rejet, il pourrait mener une vie normale.

Et le 22 juin 1986, Gilles se prépara pour la partie de balle molle à Saint-Liboire. Il enfila un T-shirt *uptown*, un pantalon beige, ligné sur le côté en marine et ocre, des bas golf marine et blanc, des souliers blancs. Martin portait un pantalon vert émeraude, un T-shirt blanc, des bas blancs et des souliers noirs.

Arrivés au stade, Gilles et Martin se dirigèrent vers le terrain alors qu'Huguette allait s'asseoir dans les gradins avec sa famille, la famille Leblanc, la famille de son beau-frère en fait, que représentait Gilles et Martin. Ils se lancèrent des balles pour pratiquer.

Puis le maître de cérémonie ouvrit la journée en annonçant le déroulement et présenta Gilles Thibault, ce Maskoutain qui venait participer à la rencontre père-fils malgré sa récente greffe cardiaque, et demanda à la foule de l'applaudir pour son courage.

On avait décidé que Gilles serait le premier à prendre le bâton.

— Alors au bâton pour la famille Leblanc, on vous demanderait d'applaudir bien fortement Monsieur Gilles Thibault. On le répète, Monsieur Thibault a récemment eu une greffe du cœur, alors c'est tout un exploit aujourd'hui qu'il puisse se permettre de jouer à la balle. C'est un exploit étonnant.

Gilles reçut une balle et la frappa.

— Allez au premier but, Monsieur Thibault, lui dit le commentateur.

Et Gilles s'y rendit en marchant comme le lui avait recommandé le Dr Guerraty.

— C'est beau.
— Monsieur Thibault, *come on*.
— Je ne suis pas essoufflé «pantoute».
— *Watchez*-vous bien les gars, le championnat est à nous!

Gilles était tout heureux. Sa famille était autour de lui, ses amis, ses connaissances. Il pouvait enfin participer lui qui avait été si malade, si handicapé par son cœur. Et il se prit à penser au donneur. Il avait voulu remercier sa famille après la greffe, mais le Dr Guerraty lui avait dit que ce n'était pas possible. Car le père du donneur avait bien spécifié au chirurgien que le don du cœur était conditionnel à l'anonymat le plus strict. Il avait cependant pris des nouvelles du receveur dont on ne lui avait pas communiqué le nom et s'était réjoui d'apprendre qu'il était en bonne santé. Gilles le remerciait donc par la pensée *ad vitam aeternam* puisqu'il ne pouvait le faire de vive voix. Car le Dr Guerraty lui avait bien fait comprendre que c'était un don, un don qui n'avait pas de prix...

Bibliographie

BEAL, Ken. «Caring for the needs of the donor's family», *Transplantation Today*, vol. 2, n° 2, février 1985, p. 50 et 51.

BELLIVEAU, Francine. «Reprise du programme de transplantation cardiaque», *L'Union médicale du Canada*, tome 18, n° 5, mai 1983, p. 11 à 13.

BOLMAN, R. Morton. «Cardiac transplantations: Realities in 1985», *The Annals of Thoracic Surgery*, vol. 39, n° 4, avril 1985, p. 301 et 302.

BOREL, J.F. et STÄHELIN, H. «Cyclosporin A: The history and significance of its discovery», *Transplantation Today*, vol. 1, n° 8, août 1984, p. 15 à 18.

CABROL, Claude et coll. «La transplantation cardiaque: Expérience de La Pitié», *Archives des maladies du cœur*, vol. 77, n° 13, 1984, p. 1427 à 1433.

CABROL, Claude et coll. «Les transplantations cardiaques: Expérience de La Pitié», *Annales de cardiologie et d'angéiologie*, vol. 32, n° 2, 1983, p. 329 à 433.

CAMPEAU, Lucien, DAVID, Paul, DYRDA, Ihor et GRONDIN, Pierre. «Selection of recipients for cardiac transplantation», *Canadian Medical Association Journal*, vol. 102, 23 mai 1970, p. 1051 à 1055.

CHAUCHARD, Paul. *Le cœur et ses maladies*, PUF, Paris, 1960.

CORMAN, J.,GUERRATY, Albert, SAINT-LOUIS, Gilles, SMEESTERS, C. et DALOZE, Pierre. «Donneurs cadavériques d'organes multiples pour homotransplantation», Unité de transplantation, Hôpital Notre-Dame, janvier 1984.

D'ALLAINES, Claude, *La chirurgie du cœur*, PUF, Paris, 1967, 1974, 2e éd.

DAVID, Paul. «Institut de cardiologie», *L'Union médicale du Canada*, tome 81, n° 9, septembre 1952, p. 1 à 3.

DENNY, Donald W. «Organ procurement for transplantation in the United States and Canada», *Transplantation Today*, vol. 1, n° 8, août 1984, p. 41 à 44.

DE VRIES, William C. *Surgery of the Chest*, «The total artificial heart», 4e éd., W.B. Saunders, Philadelphie, 1983, p. 1629 à 1636.

DE VRIES, William C. et JOYCE, Lyle D. «The artificial heart», *Clinical Symposia*, vol. 36, n° 2, 1984.

DONG, Eugene et SHUMWAY, Norman E. «Current results of human heart transplantation», *World Journal of Surgery*, vol. 1, n° 2, 1977, p. 157 à 164.

DONG, Eugene et SHUMWAY, Norman E. *Surgery of the Chest*, «Transplantation of the heart», W.B. Saunders, Philadelphie, 1976, p. 1507 à 1521.

DRIPPS, Robert, ECKENHOFF, James E. et VANDAM, Leroy D. *Introduction to Anesthesia*, W.B. Saunders, Philadelphie, 1977.

ENGLISH, T.A.H., CORY-PEARCE, R., McGREGOR, C. et WALLWORK, J. «Cardiac transplantation: 3-5 year experience at Papworth Hospital», *Transplantation Proceedings*, vol. 15, n° 1, mars 1983, p. 1238 à 1240.

GRIEPP, Randall B., STINSON, Edward B., DONG, Eugene Jr., CLARK, David A. et SHUMWAY, Norman E. «Determinants of operative risk in human heart transplantation», *The American Journal of Surgery*, vol. 122, août 1971, p. 192 à 197.

GRONDIN, Pierre. «La greffe totale du cœur humain», *L'Union médicale du Canada*, tome 97, n° 3, mars 1978, p. 259 à 261.

HEIMBECKER, Raymond O. «Transplantation: The cyclosporine revolution», *Canadian Journal of Cardiology*, vol. 1, n° 6, novembre-décembre 1985, p. 354 à 357.

LAMY, J.L., LEPAGE, Gilles, WIELHORSKI, A. et CHOQUETTE, G. «Chirurgie à cœur ouvert», *L'Union médicale du Canada*, tome 88, n° 11, novembre 1959, p. 1360 à 1376.

LEPAGE, Gilles, CASTONGUAY, Yves, MEERE, Claude, GRONDIN, Claude et GRONDIN, Pierre. «La transplantation cardiaque: expérience mondiale et statut actuel», *L'Union médicale du Canada*, tome 100, n° 1, janvier 1971, p. 61 à 67.

LOWER, Richard R. et SHUMWAY, Norman E. «Studies on orthotopic homotransplantation of the canine heart», *Surgical Forum*, vol. 11, Chicago, 1960, p. 18-19.

MAI, François M. et BURLEY, June. «Phychosocial aspects of heart transplantation», *Transplantation Today*, vol. 2, n° 2, février 1985, p. 16 à 21.

McKENZIE, Neil, «Cardiac transplantation», *Transplantation Today*, vol. 1, n° 8, août 1984, p. 20 à 24.

McKENZIE, Neil. «Heart transplants: Dawning of a future era». *Transplantation Today*, vol. 2, n° 2, février 1985, p. 8 à 10.

MERCREDIS Jean Lenègre. Séance du 6 février; modérateur: P. Maurice. «Transplantation cardiaque», *L'Information cardiologique*, vol. 9, n° 4, avril 1985, p. 317 à 321.

MÉTRO-TRANSPLANTATION. Protocole de donation pour la transplantation d'organes cadavériques.

MODRY, Dennis L. et coll. «Cyclosporine in heart and heart-lung transplantation», *The Canadian Journal of Surgery*, vol. 28, n° 3, mai 1985, p. 274 à 281.

MODRY, Dennis L. et KAYE, Michael P. «Heart and heart-lung transplantation: The Canadian and world experience», communication présentée au 54e Congrès annuel du Collège royal des médecins et chirurgiens du Canada, le 12 septembre 1985.

SCHAUB, Frank A. *Précis d'électrocardiographie clinique*, document Geigy, Bâle, 1966.

SCHEIDT, Stephen. «Basic electrocardiography: Leads, axes, arrhythmias, *Clinical Symposia*, Ciba, vol. 35, n° 3, 1983.

SHUMWAY, Norman E. «Recent advances in cardiac transplantation», *Transplantation Proceedings*, vol. 15, n° 1, mars 1983, p. 1221 à 1224.

STILLER, Calvin R., McKENZIE, F. Neil et KOSTUK, William J. «Cardiac transplantation: Ethical and economic issues», *Transplantation Today*, vol. 2, n° 2, février 1985, p. 22 à 26.

THOMPSON, M.E. «Selection of candidates for cardiac transplantation», *Heart Transplantation*, vol. 3, n° 1, 1983.

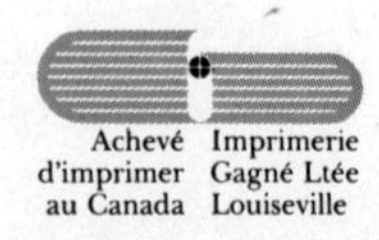

Achevé d'imprimer au Canada
Imprimerie Gagné Ltée Louiseville